S.J. SCOTT
BARRIE DAVENPORT

ORGANIZE SUA MENTE

COMO PARAR DE SE PREOCUPAR,
ALIVIAR A ANSIEDADE E ELIMINAR
OS PENSAMENTOS NEGATIVOS

ALTA BOOKS
EDITORA
Rio de Janeiro, 2018

Organize Sua Mente: Como Parar de se Preocupar, Aliviar a Ansiedade e Eliminar os Pensamentos Negativos
Copyright © 2018 da Starlin Alta Editora e Consultoria Eireli. ISBN: 978-85-508-0332-6

Translated and published by *STARLIN ALTA EDITORA E CONSULTORIA EIRELI (EDITORA ALTA BOOKS)* with permission from Oldtown Publishing. This translated work is based on *Declutter Your Mind: How to Stop Worrying, Relieve Anxiety, and Eliminate Negative Thinking* by S.J. Scott and Barrie Davenport. © 2016 Oldtown Publishing. All Rights Reserved. Oldtown Publishing is not affiliated with *STARLIN ALTA EDITORA E CONSULTORIA EIRELI (EDITORA ALTA BOOKS)* or responsible for the quality of this translated work. Translation arrangement managed RussoRights, LLC on behalf of Oldtown Publishing.

Todos os direitos estão reservados e protegidos por Lei. Nenhuma parte deste livro, sem autorização prévia por escrito da editora, poderá ser reproduzida ou transmitida. A violação dos Direitos Autorais é crime estabelecido na Lei nº 9.610/98 e com punição de acordo com o artigo 184 do Código Penal.

A editora não se responsabiliza pelo conteúdo da obra, formulada exclusivamente pelo(s) autor(es).

Marcas Registradas: Todos os termos mencionados e reconhecidos como Marca Registrada e/ou Comercial são de responsabilidade de seus proprietários. A editora informa não estar associada a nenhum produto e/ou fornecedor apresentado no livro.

Impresso no Brasil — 1ª Edição, 2018 — Edição revisada conforme o Acordo Ortográfico da Língua Portuguesa de 2009.

Publique seu livro com a Alta Books. Para mais informações envie um e-mail para autoria@altabooks.com.br

Obra disponível para venda corporativa e/ou personalizada. Para mais informações, fale com projetos@altabooks.com.br

Produção Editorial	**Produtor Editorial**	**Produtor Editorial (Design)**	**Marketing Editorial**	**Vendas Atacado e Varejo**
Editora Alta Books	Thiê Alves	Aurélio Corrêa	Silas Amaro	Daniele Fonseca
Gerência Editorial	**Assistente Editorial**		marketing@altabooks.com.br	Viviane Paiva
Anderson Vieira	Juliana de Oliveira		**Ouvidoria**	comercial@altabooks.com.br
			ouvidoria@altabooks.com.br	

Equipe Editorial	Adriano Barros	Ian Verçosa	Paulo Gomes	**Capa**
	Aline Vieira	Illysabelle Trajano	Thales Silva	Bianca Teodoro
	Bianca Teodoro	Kelry Oliveira	Viviane Rodrigues	

Tradução	**Copidesque**	**Revisão Gramatical**	**Revisão Técnica**	**Diagramação**
Maíra Meyer	Kathleen Miozzo	Rochelle Lassarot	Carlos Bacci	Daniel Vargas
		Thaís Pol	Economista e empresário do setor de serviços	

Erratas e arquivos de apoio: No site da editora relatamos, com a devida correção, qualquer erro encontrado em nossos livros, bem como disponibilizamos arquivos de apoio se aplicáveis à obra em questão.

Acesse o site www.altabooks.com.br e procure pelo título do livro desejado para ter acesso às erratas, aos arquivos de apoio e/ou a outros conteúdos aplicáveis à obra.

Suporte Técnico: A obra é comercializada na forma em que está, sem direito a suporte técnico ou orientação pessoal/exclusiva ao leitor.

A editora não se responsabiliza pela manutenção, atualização e idioma dos sites referidos pelos autores nesta obra.

Dados Internacionais de Catalogação na Publicação (CIP) de acordo com ISBD

S425o   Scott, S. J.

    Organize Sua Mente: como parar de se preocupar, aliviar a ansiedade e eliminar pensamentos negativos / S. J. Scott, Barrie Davenport ; traduzido por Maíra Meyer. - Rio de Janeiro : Alta Books, 2018.
    160 p. ; il. ; 17cm x 24cm.

    Tradução de: Declutter_Your_Mind
    Inclui índice.
    ISBN: 978-85-508-0332-6

    1. Autoajuda. 2. Mente. 3. Pensamentos. 4. Preocupação. 5. Ansiedade. I. Davenport, Barrie. II. Meyer, Maíra. III. Título.

2018-861   CDD 158.1
    CDU 159.947

Elaborado por Vagner Rodolfo da Silva - CRB-8/9410

Rua Viúva Cláudio, 291 — Bairro Industrial do Jacaré
CEP: 20.970-031 — Rio de Janeiro (RJ)
Tels.: (21) 3278-8069 / 3278-8419
www.altabooks.com.br — altabooks@altabooks.com.br
www.facebook.com/altabooks — www.instagram.com/altabooks

SUMÁRIO

Introdução v

    Como Pensamentos Determinam Nossos Resultados vii

    História de Barrie… xiii

    História de Steve… xv

    Por que Você PRECISA Ler Organize Sua Mente xvii

PARTE I: ORGANIZANDO SEUS PENSAMENTOS 1

    Quatro Causas da Desorganização Mental 3

    Hábito de Organização Mental Nº 1: Respiração Profunda Direcionada 9

    Hábito de Organização Mental Nº 2: Meditação 13

    Hábito de Organização Mental Nº 3: Reestruture TODOS
os Pensamentos Negativos 19

    Hábito de Organização Mental Nº 4: Ensine Novos Truques à
Sua Velha Mente 23

PARTE II: ORGANIZANDO OS COMPROMISSOS
DE SUA VIDA 27

    A Importância de Valores Essenciais 29

    Estratégia Nº 1: Identifique os SEUS Valores Essenciais 33

    Estratégia Nº 2: Deixe Claras as Prioridades de Sua Vida 35

    Exercício Nº 3a: Foque em uma Definição Consciente de Metas 39

    Estratégia Nº 3b: Crie Objetivos S.M.A.R.T. Trimestrais 41

    Estratégia Nº 4: Conecte Seus Objetivos Com Suas Paixões 49

SUMÁRIO

PARTE III: ORGANIZANDO SEUS RELACIONAMENTOS 55

O Impacto Negativo de Relacionamentos Ruins 57

Estratégia de Relacionamento Nº 1: Seja Mais Presente 61

Estratégia de Relacionamento Nº 2: Libertando-se do Passado 69

Estratégia de Relacionamento Nº 3: Atenção Plena Com Seu Parceiro 73

Estratégia de Relacionamento Nº 4: Deixe Algumas Pessoas Irem Embora 79

PARTE IV: ORGANIZANDO SEU ENTORNO 85

O Valor de Organizar Seu Entorno 87

Simplifique Sua Casa 89

Simplifique Sua Vida Digital 95

Simplifique Suas Atividades 99

Simplifique Suas Distrações (Para Superar a Procrastinação) 107

Simplifique Suas Ações 113

CONCLUSÃO 121

Reflexões Finais Sobre Organize Sua Mente 123

400 Palavras Que Identificam Seus Valores (Seção Bônus) 127

Gostou de Organize Sua Mente? 133

Notas 135

Índice 137

Sobre Steve 141

Sobre Barrie 142

iv

Introdução

Como Pensamentos Determinam Nossos Resultados

"É preciso muito pouco para tornar uma vida feliz; tudo está dentro de você, na maneira como pensa."

– Marco Aurélio

Já se sentiu sobrecarregado por seus pensamentos? Tem problemas com estresse ou ansiedade por conta de tarefas que precisa concluir semanalmente? Quer, simplesmente, parar de se preocupar com a vida em geral?

Todos nós vivenciamos pensamentos negativos de vez em quando. Mas, se com frequência você se sente sobrecarregado por esses pensamentos, então deveria examinar com cuidado em que está pensando e como seus pensamentos influenciam seu bem-estar mental.

Esse monólogo interno é parte natural de sua paisagem mental. Ele está aí o tempo todo, noite e dia, lembrando-o das compras que precisa buscar, envergonhando-o por ter esquecido o aniversário da sua irmã ou fazendo-o ficar ansioso com manchetes atuais (como política, o ambiente ou o estado atual da economia).

Esses pensamentos são o ruído de fundo da sua vida, ainda que você talvez nem sempre esteja ciente da presença constante deles. Pare um pouco neste instante e preste atenção em seus pensamentos. Tente pará-los. É difícil, certo? Você verá que eles continuam fluindo, um após outro, desordenados e, com frequência, indesejados.

Alguns dos seus pensamentos são aleatórios e supérfluos. *"Meu braço está coçando." "Parece que vai chover." "Onde coloquei minhas chaves?"*

Por outro lado, muitos de nossos pensamentos são invasivos e negativos. *"Aquele cara é um idiota." "Estraguei totalmente o projeto." "Sinto-me tão culpado pelo que disse à mamãe."*

Quer sejam negativos, neutros ou positivos, **esses pensamentos desorganizam nossas mentes**, tal como sua casa pode ficar desorganizada quando você tem muitos objetos.

INTRODUÇÃO

Infelizmente, arrumar a desorganização mental não é tão simples como se livrar de um objeto. Você não pode "jogar fora" um pensamento e esperar que ele fique longe. É, de fato, uma ação tão infrutífera quanto enxugar gelo: seus pensamentos negativos dão um jeito de aparecer de novo tão logo você bata neles.

Por que Temos Pensamentos Negativos

Imagine sua mente como uma casa totalmente arrumada — uma casa livre de itens estranhos, sugadores e inúteis que o perturbam. E se você pudesse se cercar somente de pensamentos que o animam, inspiram e acalmam?

Por um momento, considere sua mente um céu calmo e sem nuvens, e que você tem o poder de escolher o que paira nele. Se esse céu mental sem nuvens é tão desejado, então por que pensamos tanto, com tão poucos filtros para separar os pensamentos positivos e necessários dos aleatórios e desnecessários?

Seu cérebro contém cerca de 100 bilhões de neurônios, com outro bilhão na medula espinal. O número total de conexões entre neurônios — as células responsáveis pelo processo — foi estimado em 100 trilhões de sinapses.

Nossos cérebros poderosos estão constantemente processando todos os tipos de experiências e analisando-as na forma de pensamentos. Pensamentos formam o que concebemos como realidade.

Podemos comandar e direcionar nossos pensamentos, mas com frequência parece que eles têm mentes próprias, controlando-nos e como nos sentimos. Pensar é necessário para resolver problemas, analisar, tomar decisões e planejar, mas entre os momentos de esforços mentais proativos a mente vagueia como um macaco selvagem, arrastando-o por espinheiros de ruminação e negatividade.

Seu constante diálogo interno o distrai do que está acontecendo à sua volta, aqui e agora. Ele o leva a perder experiências valiosas e sabota a alegria do momento presente.

Absurdamente, presumimos que necessitamos pensar mais ou com maior rigor a fim de "descobrir" por que não estamos tão felizes ou plenos como gostaríamos de estar. Tentamos identificar objetos, pessoas e experiências que poderiam saciar nossos anseios e aliviar nossa infelicidade. Quanto mais ponderamos nossa aflição, mais desanimados ficamos. Nossos pensamentos nos deixam inquietos, vazios e nervosos ao projetarmos o futuro ou olharmos para o passado em busca de respostas.

De fato, quase todo pensamento negativo que você tem se relaciona com o passado ou o futuro. É comum se encontrar aprisionado em um ciclo de reflexões lamentosas ou pensamentos de preocupação, mesmo quando se sente desesperado para escapar da fita que nunca acaba de tocar em sua mente.

Não somente você luta com seus pensamentos como, também, luta com sua inabilidade de se libertar deles. Quanto mais os pensamentos negativos continuam a girar, pior você se sente. É quase como se existissem dois de você — o pensador e o juiz, a pessoa tendo os pensamentos e a pessoa ciente de que você os está tendo e julgando como eles são ruins.

Essa dinâmica pensar/julgar nos contamina com emoções dolorosas. Quanto mais pensamentos de medo, culpa e arrependimento temos, mais estressados, ansiosos, deprimidos e irritados nos sentimos. Às vezes, nossos pensamentos nos paralisam com sentimentos ruins, e são esses sentimentos que nos roubam a paz interior e o contentamento.

Embora nossos pensamentos sejam os responsáveis por tanto sofrimento, assumimos que não há muito a se fazer a respeito. Você não pode impedir sua mente de pensar, certo? Você não pode desligar o cérebro a seu bel-prazer ou se livrar do falatório mental e sentimentos afins que o impedem de aproveitar plenamente a vida.

Esporadicamente, temos momentos inesperados de paz mental e silêncio. No entanto, com mais frequência tentamos reprimir o falatório mental nos automedicando com comida, álcool, drogas, trabalho, sexo ou exercícios em excesso. Mas essas são soluções temporárias para abafar o barulho e atenuar a dor. Logo depois nossos pensamentos voltam novamente a isso, e o ciclo continua.

Estamos fadados a sermos vítimas de nossas "mentes de macaco" o tempo todo? Temos de ficar constantemente combatendo nossos pensamentos e permitir que eles nos levem para baixo trazendo preocupação, arrependimento e ansiedade? Há uma maneira de ter uma mente límpida, livre de negatividade e dor?

Talvez você não consiga manter sua casa mental o tempo todo em ordem, mas pode impactar o bastante seus pensamentos a ponto de aprimorar sua qualidade de vida e felicidade integral de modo significativo.

INTRODUÇÃO

Pensar pode parecer automático e incontrolável, mas muitos de nossos padrões de pensamentos são habituais e, bem, irrefletidos.

Embora pareça que você e seus pensamentos são indissociáveis, você possui, sim, um "eu consciente" capaz de intervir com intenção e administrar seus pensamentos. Você tem muito mais controle sobre seus pensamentos do que imagina. Ao aprender como controlar sua mente, você abre uma porta à vastidão de criatividade, inspiração e brilhantismo logo atrás da desordem desses pensamentos indomados.

Por meio de variadas práticas de atenção plena e hábitos práticos, você pode enfraquecer seus pensamentos e ter mais "espaço" em sua mente para desfrutar de paz interna e felicidade. Você terá clareza para priorizar o que é mais importante em sua vida, o que não atende mais seus objetivos e como quer viver todos os dias.

Apresentando: *Organize Sua Mente*

O propósito deste livro é simples: vamos ensinar a você os hábitos, atitudes e raciocínios que pode usar para limpar a desorganização mental que talvez o esteja impedindo de ter mais foco e atenção.

Em vez de somente lhe dizer o que fazer, mostramos como atitudes práticas e com respaldo científico podem criar mudanças reais e duradouras se praticadas com regularidade.

Organize Sua Mente se divide em quatro seções com informações que você pode usar para modificar um aspecto específico de sua vida que talvez o esteja deixando estressado ou sobrecarregado. Abrangemos, especificamente, estes tópicos:

1. Organizando Seus Pensamentos

2. Organizando os Compromissos de Sua Vida

3. Organizando Seus Relacionamentos

4. Organizando Seu Entorno

Você descobrirá que este livro está cheio de exercícios que podem ter um impacto imediato e positivo em seu estado de espírito. Já que há muito material, sugerimos lê-lo todo de uma só vez e depois percorrê-lo novamente a fim de identificar a principal área de sua vida que precisa de mais esforço. Em outras palavras, você deverá encontrar um "progresso rápido" que terá um impacto imediato em sua vida.

Quem Somos?

Barrie é a fundadora do premiado site de desenvolvimento pessoal *Live Bold and Bloom*. É coach pessoal certificada e criadora de cursos online, ajuda pessoas a aplicarem estratégias práticas a fim de saírem de suas zonas de conforto e usufruir de vidas mais felizes, ricas e bem sucedidas. Também é autora de uma série de livros de autoaprimoramento sobre hábitos positivos, paixão pela vida, desenvolvimento da confiança, atenção plena e simplicidade.

Como empresária, mãe de três filhos e chefe de família, Barrie sabe em primeira mão como é valioso e marcante simplificar e administrar nossas vidas internas e externas no intuito de reduzir o estresse e aproveitar a vida ao máximo.

Steve (ou "S.J.") dirige o blog *Develop Good Habits* e é autor de séries de títulos relacionados a hábitos. O objetivo deles é mostrar como o desenvolvimento constante de hábitos pode levar a uma vida melhor.

Juntos, somos autores de dois livros anteriores sobre atenção plena e sobre ter um estilo de vida menos complicado: *10-Minute Declutter: The Stress Free Habit for Simplifying Your Home* e *10-Minute Digital Declutter: The Simple Habit to Eliminate Technology Overload*. Esses livros não somente ensinam atitudes práticas para controlar seus recursos materiais, eles também mostram como eliminar o "ruído" em sua vida pode ter um impacto positivo na saúde mental.

Ambos temos motivos diferentes para não somente adotar os princípios a seguir, mas também para decidir escrever este livro em primeiro lugar.

História de Barrie...

Nos últimos anos, Barrie teve uma mudança significativa em seu estilo de vida e prioridades. Sentindo um vazio na própria vida e frequentemente lidando com ansiedade generalizada, ela iniciou uma busca pessoal a fim de encontrar qual era sua paixão além de sua função de mãe, bem como de descobrir como silenciar a "voz em sua cabeça" que desencadeava a ansiedade e o sofrimento que vivenciava.

Sua jornada a levou a uma nova carreira como coach pessoal, blogueira de desenvolvimento pessoal, professora e autora. Por meio de seu trabalho e pesquisa deparou-se com vários momentos "eureca" significativos quando aprendeu mais sobre práticas de atenção plena, simplificando e identificando algumas prioridades de vida em que queria despender a maior parte de seu tempo e energia.

Mudou-se recentemente de um subúrbio congestionado e movimentado de Atlanta para Asheville, NC, onde desfruta de um ritmo mais lento de vida, em uma cidade pequena, focada em um estilo de vida saudável, ótima comida, relações interpessoais, natureza e música.

História
de Steve...

Durante muitos anos, Steve levou uma vida bem simplista, mas desde a segunda metade de 2015 ele passou por **quatro acontecimentos principais que mudaram sua vida** (o casamento, um novo bebê, a compra de uma casa e o início de um negócio novo em folha). Ao mesmo tempo em que esses acontecimentos foram incríveis, também o levaram a ter uma dose elevada de estresse em sua vida.

Primeiro, Steve se sentiu sobrecarregado por essas mudanças, mas por fim aprendeu como simplificar o que lhe passava pela cabeça, e também a ficar no momento com o que quer que estivesse fazendo àquela hora. Agora, quando passa um tempo com sua esposa e filho, ele fica 100% no momento; e, quando está trabalhando, finaliza tarefas importantes em um estado de fluxo produtivo.

As estratégias que Steve e Barrie usam para vencer o estresse em suas vidas não são fáceis. Mas elas definitivamente funcionam — se você estiver disposto a trabalhar nelas todos os dias. Essas são as estratégias que você descobrirá no livro a seguir.

Por que Você PRECISA Ler Organize Sua Mente

Este livro é para qualquer um que reconheça como os próprios pensamentos indomados estão interferindo em seu foco, produtividade, felicidade e paz de espírito.

Organize Sua Mente será muito útil se você:

- Com frequência se encontra preso em reflexões ansiosas, negativas e improdutivas.
- Perde tempo valioso, foco e energia com pensamentos excessivos e preocupações.
- Sente-se frustrado e confuso sobre como parar reflexões negativas e compulsivas.
- Viveu épocas de estresse elevado, agitação, ansiedade e até depressão como resultado de sobrecarga mental.
- Percebe-se buscando dinheiro, objetos, trabalho, sucesso ou prestígio a fim de preencher uma sensação de vazio ou tristeza.
- Sente-se ocupado, sobrecarregado e estressado demais, a ponto de ter perdido contato com quem você realmente é.
- Encontra-se voltado a distrações, álcool, drogas e outras compulsões a fim de se anestesiar de pensamentos e sentimentos dolorosos.
- Gostaria de mudar suas prioridades e aprender a administrar e compreender seus pensamentos para que eles não dominem sua vida.
- Recebe queixas de seu chefe, esposa ou membros da família sobre sua distração, desinteresse, agitação ou estresse constantes.

Simplesmente deseja um estilo de vida mais centrado, calmo e pacífico como resultado final?

Se você deseja ter uma vida mental simplificada e calma — e reivindicar algum tempo e energia emocional dos quais abriu mão por conta do pensar excessivo e da ansiedade —, então veio ao lugar certo. Ao longo deste livro, você não aprenderá somente as habilidades de que precisa para organizar e administrar seus pensamentos, mas também vai descobrir estratégias viáveis para implementá-las imediatamente.

Temos um campo muito vasto para cobrir, então pule dentro e venha: vamos verificar por que somos tão enganados por nossos pensamentos e como isso nos está impactando.

PARTE I
ORGANIZANDO SEUS PENSAMENTOS

Quatro Causas da Desorganização Mental

"Não é um aumento diário, mas uma redução diária.
Elimine o que não for essencial."

– Bruce Lee

Antes de nos aprofundarmos nos vários exercícios para eliminar pensamentos negativos, é importante entender primeiro por que você tem esses pensamentos. Portanto, nesta seção, examinaremos quatro causas da desorganização mental.

Causa nº 1: Estresse diário

Uma quantia excessiva de estresse é o principal motivo de muitas pessoas se sentirem sobrecarregadas pela vida. De fato, o estresse gerado por sobrecarga de informações, desordem física e as escolhas sem fim que essas coisas exigem podem causar um conjunto de problemas de saúde mental, como ansiedade generalizada, ataques de pânico e depressão.

Somam-se a esse estresse as preocupações legítimas e inquietações em sua vida, e talvez você se encontre tendo problemas para dormir, dor muscular, dores de cabeça e no peito, infecções constantes e distúrbios no estômago e no intestino, de acordo com a Associação Americana de Psicologia[1] (sem mencionar as dezenas de estudos que corroboram a ligação entre estresse e problemas físicos).

Dan Harris, âncora da ABC News e autor do livro *10% Happier*, não reconhecia que o estresse de sobrecarga mental o estava impactando até ter um completo ataque de pânico em rede nacional.

Seu trabalho exigente e competitivo (que o levou às linhas de frente do Afeganistão, de Israel, da Palestina e do Iraque) o deixou deprimido e ansioso. Ele automedicou sua dor interna com drogas recreativas, causando o ataque ao vivo.

Ao consultar seu médico, Dan foi alertado sobre seu estado mental. Em uma postagem no site da ABC, ele afirma: "Enquanto estava sentado em seu consultório, comecei a perceber a absoluta imensidão de minha cegueira — de ter me lançado de modo precipitado em áreas de guerra sem levar em conta consequências psicológicas até ter usado drogas sintéticas injetáveis para reposição de adrenalina. Foi como se eu estivesse sonâmbulo em meio a uma cascata de atitudes idiotas".

A "atitude idiota" de Dan foi tão somente uma reação humana a tudo o que estava acontecendo em sua cabeça. Quando a vida se torna muito intensa e complicada, nossas psiques procuram saídas de emergência. Esforço demais, exposição negativa demais e escolhas demais podem desencadear uma reação não muito saudável.

Causa n° 2: O paradoxo da escolha

A liberdade de escolha, reverenciada em sociedades livres, pode ter um ponto de retorno regressivo quando se trata de saúde mental. O psicólogo Barry Schwartz cunhou a expressão "paradoxo da escolha", que resume suas descobertas de que o aumento das escolhas leva à maior ansiedade, indecisão, paralisação e insatisfação. Mais escolhas podem fornecer resultados objetivamente melhores, mas eles não o deixarão feliz.

Considere uma simples ida ao mercado. De acordo com o Food Marketing Institute[2], em 2014 um supermercado médio mantinha 42.214 itens. O que um dia pode ter sido uma voltinha de dez minutos para pegar o necessário agora exige, pelo menos, um bom tempo para a agonia de decidir pela melhor marca de iogurte ou os biscoitos sem glúten certos.

Tente comprar uma calça jeans, o básico da maioria dos guarda-roupas, e será confrontado com uma gama sem fim de decisões. Modelo *baggy*? *Boot cut*? *Skinny*? Boca de sino? Lavagem vintage? Botão *fly*? Com zíper? Uma simples compra é o suficiente para deixá-lo hiperventilado.

Steve Jobs, Mark Zuckerberg e até o presidente Obama decidiram limitar suas escolhas de roupas para minimizar sensações de sobrecarga da tomada de decisões. Em um artigo de Michael Lewis para a *Vanity Fair*[3], o ex-presidente explicou a lógica por trás das seleções limitadas de seu guarda-roupa:

"Você verá que só uso ternos cinzas ou azuis", disse Obama. "Estou tentando reduzir decisões. Não quero escolher o que estou comendo ou vestindo, porque tenho muitas outras decisões para tomar."

Causa nº 3: Muita "tralha"

Nossas casas estão cheias de roupas que nunca usamos, livros que não vamos ler, brinquedos não usados e aparelhos que não veem a luz do dia. Nossas caixas de entrada no computador estão transbordando. Nossas áreas de trabalho estão desorganizadas e em nossos celulares piscam mensagens como "Você precisa de mais memória".

Conforme mencionado no *10-Minute Digital Declutter*: "Nós nos tornamos tão escravos de nossos aparelhos que preferimos a solução rápida da informação ou lazer instantâneo a interações e experiências do mundo".

Com esse fluxo constante de informações e acesso à tecnologia, tornar-se consumidor em massa de coisas e dados é mais fácil do que nunca. Com apenas um clique podemos pedir qualquer coisa, de um livro a uma lancha, e recebê-los na porta de casa.

Estamos enchendo nossas casas com coisas de que não precisamos e preenchendo nosso tempo com um fluxo contínuo de tuítes, atualizações, artigos, postagens de blog e vídeos de gatos. Informações e tralhas estão se acumulando à nossa volta, e mesmo assim nos sentimos impotentes para fazer qualquer coisa a respeito.

Todas essas tralhas e dados insignificantes não somente sugam nosso tempo e produtividade como também geram pensamentos reativos, ansiosos e negativos.

Do tipo:

- "Minha amiga do Facebook parece ter uma vida feliz. Minha vida é uma droga."
- "Será que compro esse FitBit e começo a monitorar minha saúde para não morrer tão cedo?"
- "Ah, não, esqueci o webinar 'Como ganhar um milhão antes dos 30' — e se eles compartilharam algo realmente importante?"

Tudo parece importante e urgente. Todo e-mail e mensagem precisam de respostas. Todo dispositivo mais avançado ou geringonça devem ser comprados. Isso nos mantém constantemente agitados, ocupados com banalidades e isolados das pessoas a nosso redor e dos sentimentos dentro de nós.

Com frequência sentimos que não temos tempo para organizar porque estamos ocupados demais consumindo tralhas novas e informações. Mas, a certa altura, toda essa

PARTE I ORGANIZANDO SEUS PENSAMENTOS

ocupação está nos levando à exaustão mental e emocional. Como processamos tudo que chega até nós, analisamos, ruminamos e nos preocupamos até o ponto de ruptura.

Como foi que perdemos de vista os valores e prioridades de vida que antigamente nos mantinham equilibrados e sadios? O que podemos fazer a respeito? Não podemos voltar no tempo e viver sem tecnologia. Não podemos renunciar a todos os objetos mundanos e morar em uma caverna. Temos de descobrir um modo de viver neste mundo moderno sem perder a sanidade.

Organizar nossas tralhas e reduzir o tempo que passamos com nossos dispositivos digitais ajudam a eliminar um pouco da ansiedade e dos pensamentos negativos. Mas ainda temos muitos motivos para nos perdermos na desorganização mental dos pensamentos negativos, preocupações e arrependimentos.

Ficamos preocupados com saúde, emprego, filhos, economia, relacionamentos, aparência, o que outras pessoas pensam de nós, terrorismo, política, dores do passado e o futuro imprevisível. O que pensamos a respeito disso nos faz sofrer e mina a felicidade que poderíamos experimentar neste instante se não tivéssemos aquela voz recorrente em nossas cabeças perturbando tudo.

Causa nº 4: A predisposição à negatividade

"Mas foi neste momento, deitado na cama tarde da noite, que comecei a me conscientizar de que a voz na minha cabeça — o comentário contínuo que dominou meu campo de consciência desde quando consigo lembrar — era meio babaca." – Dan Harris

O sistema nervoso humano vem evoluindo por 600 milhões de anos, mas ainda responde do mesmo modo que nossos antigos ancestrais humanos que enfrentaram situações de risco muitas vezes por dia e só precisavam sobreviver.

Dr. Rick Hanson, membro sênior do Greater Good Science Center na UC Berkeley, afirma em um artigo de seu site[4] : *"Para manter vivos nossos ancestrais, a Mãe Natureza evoluiu um cérebro que rotineiramente os iludia fazendo-os cometer três erros: superestimar ameaças, subestimar oportunidades e subestimar recursos (para lidar com ameaças e atender a oportunidades)".*

Dessa forma evoluiu a "predisposição à negatividade", nossa tendência a reagir de maneira mais intensa a estímulos negativos que a positivos. Estímulos negativos produzem mais atividade neural do que os positivos tão intensos quanto (por exemplo,

ORGANIZE SUA MENTE

barulho, luz). Também são percebidos com mais facilidade e rapidez. Hanson diz: *"O cérebro é como velcro para experiências negativas, mas como teflon para as positivas"*.

Então, o que a predisposição à negatividade tem a ver com nossos pensamentos? Significa que você está conectado ao pensamento excessivo, à preocupação e olha para as situações de um modo mais negativo do que elas na verdade são. Você vê ameaças como mais ameaçadoras e desafios como mais desafiadores.

Qualquer pensamento negativo que entre em sua mente parece real, então há um impulso para aceitá-lo como realidade. Mas você não está vivendo em uma caverna, enfrentando situações de risco todos os dias. Você pode estar conectado a pensar negativo, mas não precisa aceitar essa predisposição.

Sam Harris afirma: *"Há uma alternativa para tão somente se identificar com o próximo pensamento que brota na consciência"*. **Essa alternativa é atenção plena.** Atenção plena pode ser praticada na maioria das atividades cotidianas, e pode ser cultivada por meio de exercícios específicos fornecidos ao longo deste livro.

Atenção plena exige reabilitar seu cérebro a ficar fora da desordem mental do futuro e, em vez disso, focar no momento presente. Quando você está atento, não se prende mais a seus pensamentos. Você está tão somente presente no que está fazendo.

Parece simples, certo?

O conceito é ilusoriamente simples — mas mudar seus pensamentos não é tão fácil.

Assim como criar qualquer outro hábito, organizar a mente exige prática, paciência e vontade de começar aos poucos, e daí ir aumentando. Felizmente, mostraremos como fazer tudo isso ao longo deste livro.

Você não somente aprenderá as práticas para treinar o cérebro e controlar seus pensamentos, como também criará os hábitos específicos que darão apoio a essas práticas mentais todos os dias.

No restante desta seção, examinaremos **quatro hábitos que você pode usar para organizar seus pensamentos.** Você descobrirá que, ao dominar sua mente, não somente ficará mais focado e produtivo como também se sentirá mais em paz com todas essas demandas loucas da vida moderna.

Vamos, então, nos aprofundar no primeiro hábito que vai reabilitar seu cérebro — respiração direcionada.

Hábito de Organização Mental Nº 1: Respiração Profunda Direcionada

"Sentimentos vêm e vão como nuvens em um céu com vento.
Respiração consciente é minha âncora."

– Thích Nhat Hanh

Embora você respire cerca de 20 mil vezes por dia, é provável que não pense com tanta frequência em sua respiração. Seu cérebro ajusta automaticamente a respiração às necessidades de seu corpo. Quando está subindo escadas ou correndo, não tem de pensar: *"É melhor respirar mais fundo e com mais força para conseguir mais oxigênio para meus músculos"*. Ela simplesmente acontece.

Para ajustar sua respiração às novas necessidades de seu corpo, sensores no cérebro, vasos sanguíneos, músculos e pulmões fazem o trabalho para você. No entanto, quando quiser assumir o comando, você terá o poder. Você pode desacelerar sua respiração, mudar por onde você respira (peito ou abdômen) e até deixar suas respirações superficiais ou profundas.

Uma mudança na respiração com frequência é o primeiro sinal de que nossos pensamentos estão sobrecarregados e estressantes. Quando nos sentimos ansiosos, deprimidos, com pressa ou chateados, podemos vivenciar uma respiração rápida ou curta. O estilo de vida moderno e o ambiente de trabalho também contribuem para respirações superficiais.

Como Barrie escreve em seu livro *Peace of Mindfulness: Everyday Rituals to Conquer Anxiety and Claim Unlimited Inner Peace*:

Infelizmente, somos sedentários na maior parte do dia, então há menos necessidade de respirar profundamente, como nossos ancestrais faziam para poder caçar, colher, cultivar e executar outros trabalhos manuais. Sentados às nossas escrivaninhas ou afundados no sofá assistindo à TV, desenvolvemos o hábito de respirar de maneira curta e superficial.

PARTE I ORGANIZANDO SEUS PENSAMENTOS

Quando estamos com pressa e agitados, nossa respiração segue o exemplo, e seu ritmo é rápido e nervoso. Quando estamos estressados, ansiosos ou focados em um problema, nossos corpos se contraem e nos curvamos para a frente, com a cabeça baixa, braços unidos e músculos tensionados.

Todas essas posturas comprimem a respiração. Às vezes, quando estamos absortos em estresse e preocupação, os músculos que movimentam o tórax e controlam inalação e tensão muscular se contraem como uma prensa para comprimir a expiração, e nos esquecemos de respirar integralmente.

Talvez você não preste muita atenção à sua respiração e postura, mas, ao se tornar tão somente mais ciente de como respira, gera um estado corporal e mental mais calmo.

Comece a prestar atenção à sua respiração e fique simplesmente mais ciente de como está retendo e soltando o ar ao longo do dia.

Recomendamos ter quatro coisas em mente enquanto cria o hábito da respiração profunda direcionada:

1. Em casa, em vez de se sentar de qualquer jeito à escrivaninha ou no sofá, sente-se mais reto a fim de deixar mais espaço para seus pulmões reterem oxigênio. Reconheça as áreas de tensão em seu corpo e, mentalmente, "respire" nessas áreas, observando-as relaxadas enquanto respira.

2. Esteja ciente de respirar pelo nariz e não pela boca. Seu nariz tem mecanismos de defesa que evitam que impurezas e ar excessivamente frio entrem em seu corpo. Seu nariz também é capaz de detectar gases venenosos que podem ser prejudiciais a você. Vírus e bactérias podem entrar nos pulmões através da respiração bucal, então deixe seu nariz fazer o trabalho.

3. Ao inspirar, faça respiração abdominal pressionando gentilmente o estômago para fora, e respire como se estivesse preenchendo o estômago. Na expiração, faça-a lentamente e deixe seu estômago voltar à posição habitual.

4. Preste atenção à diferença entre respiração superficial (que para no peito) e respiração abdominal ou diafragmática (que enche os lobos inferiores dos pulmões e estimula a troca completa de oxigênio). Respiração abdominal também massageia os órgãos abdominais por meio dos movimentos do diafragma.

Uma das melhores maneiras de se desligar dos pensamentos negativos e obter controle sobre a mente é por meio da respiração lenta, profunda e rítmica. Essa respiração direcionada estimula o sistema nervoso parassimpático, reduzindo

10

ORGANIZE SUA MENTE

a frequência cardíaca, relaxando músculos, acalmando a mente e normalizando a atividade cerebral.

Respiração profunda o ajuda a se sentir conectado com seu corpo, deslocando sua atenção para longe das preocupações e silenciando o diálogo interno no cérebro. As mudanças psicológicas que ocorrem com a respiração profunda são designadas como "**resposta do relaxamento**".

A expressão "resposta do relaxamento" foi cunhada primeiramente pelo Dr. Herbert Benson, professor, autor, cardiologista e fundador do Instituto Médico Mente/Corpo de Harvard. Ele escreveu o livro *A Resposta do Relaxamento*, no qual compartilha os benefícios de uma variedade de técnicas de relaxamento (incluindo respiração diafragmática) no tratamento de um amplo leque de distúrbios relacionados ao estresse.

Benson afirma: "A resposta do relaxamento é um estado físico de descanso profundo que muda as respostas físicas e emocionais ao estresse... e o oposto à resposta de luta ou fuga".

Além de promover a resposta do relaxamento, a respiração profunda tem muitos benefícios à saúde bem fundamentados.[5] Aqui está um resumo do que a respiração nasal profunda pode fazer por você:

- Incentivar a produção de óxido nítrico, uma potente molécula que reforça a imunidade produzida nos seios nasais ao respirar pelo nariz.

- Melhorar a qualidade do sangue eliminando toxinas e reforçando a oxigenação.

- Auxiliar a digestão e a assimilação de alimentos graças a um estômago e sistema digestivo mais eficientes.

- Aumentar a saúde e a atividade do sistema nervoso por meio de reforço na oxigenação.

- Melhorar a atividade dos órgãos abdominais e do coração por meio de reforço na circulação.

- Auxiliar na prevenção de problemas no sistema respiratório na medida em que os pulmões se tornam mais fortes e mais potentes.

- Diminuir a pressão arterial e auxiliar na prevenção de doenças do coração, uma vez que ele fica mais eficiente e forte e a carga de trabalho do coração é menor.

- Auxiliar no controle do peso, visto que oxigênio extra queima gordura excessiva de maneira mais eficiente.

Ao praticar alguns minutos de respiração abdominal profunda todos os dias, você está criando um hábito de longa vida comprovado por anos de pesquisas e

PARTE I ORGANIZANDO SEUS PENSAMENTOS

testes para limpar sua mente, reduzir estresse e promover relaxamento da mente e do corpo.

Barrie gosta de praticar respiração profunda várias vezes por dia, quando faz uma pausa do trabalho e ao se deitar, a fim de preparar mente e corpo para dormir. Você pode praticar respiração consciente em quase todos os lugares e a qualquer hora do dia, especialmente quando se encontra pensando em excesso ou se sentindo estressado e ansioso. Mesmo poucos minutos de respiração consciente por dia podem melhorar sua sensação de bem-estar e calma mental.

No entanto, talvez você queira elaborar uma prática regular de respiração profunda em um horário específico do dia, já que respiração direcionada é a base de uma prática meditativa, que abordaremos no capítulo seguinte. **Se você define um hábito de respiração de 5 a 10 minutos, pode facilmente usar esse hábito como gatilho e ponto de partida para a sua prática meditativa**.

Aqui está um **processo de sete passos** que você pode usar para elaborar a prática de respiração profunda todos os dias:

1. Determine uma hora do dia para praticar respiração profunda, de preferência após um hábito diário que executa regularmente, como escovar os dentes.

   A manhã é sempre um bom período para praticar, já que dá o tom para o seu dia. No entanto, você pode descobrir que quer fazer um intervalo no meio do dia, quando as coisas ficam mais frenéticas durante o expediente. Antes de dormir é outro período bom, já que promove um estado reparador antes do sono.

2. Escolha um ambiente para a prática de respiração em um local silencioso, no qual não sofra distrações ou interrupções. Desligue telefone, computador e outros aparelhos que podem perturbá-lo.

3. Ajuste um temporizador para dez minutos.

4. Sente-se no chão em uma almofada, em posição meditativa como a de lótus, ou em uma cadeira, com a coluna ereta e pés cravados no chão. Deixe as mãos descansarem suavemente em seu colo.

5. Inspire devagar pelo nariz até os pulmões encherem por completo, deixando o estômago ir para a frente na inspiração.

6. No fim da inspiração, pare e conte até dois.

7. Expire devagar, calmamente e até o fim, deixando o estômago voltar à posição habitual. Pare, também, no fim da expiração.

Hábito de Organização Mental Nº 2: Meditação

"Meditação não é um modo de silenciar sua mente. É um modo de entrar no silêncio que já está lá — enterrado sob os 50 mil pensamentos que uma pessoa comum tem todos os dias."

– Deepak Chopra

Você não precisa ser budista, místico ou um ex-hippie cheio de cristais para praticar meditação. Você pode fazer parte de qualquer fé espiritual ou religiosa ou não ter nenhuma filiação religiosa para colher os benefícios da meditação e usá-la como ferramenta para organizar sua mente.

Se você nunca praticou meditação ou não está familiarizado com ela, poderá se sentir dissuadido da ideia de se sentar em silêncio na posição de lótus e esvaziar a mente. Mas não deixe os clichês sobre meditadores que moram em cavernas o impedirem de dar uma chance a ela.

Em seu livro *10% Happier*, Dan Harris afirma: "A meditação sofre de um enorme problema de RP... no entanto, se conseguir passar da bagagem cultural, o que descobrirá é que meditação é tão somente um exercício para o cérebro".

A meditação tem sido praticada por milhares de anos e tem origem em tradições antigas budistas, hinduístas e chinesas. **Há dezenas de estilos de práticas meditativas, mas a maioria das práticas começa com os mesmos passos — sentar-se em silêncio, direcionar a atenção para a respiração e ignorar qualquer distração que aparecer em seu caminho.**

O objetivo da meditação varia dependendo do tipo de prática meditativa e do resultado desejado por quem medita. Para nossos intuitos aqui, **sugerimos meditação como ferramenta para ajudá-lo a treinar a mente e controlar seus pensamentos**, tanto quando estiver sentado em meditação como quando não estiver.

Os benefícios de meditar se transmitem à sua vida diária, ajudando-o a controlar preocupações e pensamentos excessivos, e fornecendo diversos benefícios para a saúde que abordaremos a seguir.

PARTE I ORGANIZANDO SEUS PENSAMENTOS

A chave para encontrar satisfação com a meditação é tão somente praticar. O compromisso diário com a meditação o leva a melhorar suas técnicas e a descobrir que os benefícios mentais, físicos e emocionais aumentam com o tempo.

Barrie observou que, nos dias em que medita, fica menos ansiosa e agitada e mais focada no trabalho, sobretudo com a escrita. Ela também observou uma habilidade crescente em ficar no momento presente e se reorientar à tarefa em mãos todas as vezes em que se sente tentada por uma potencial distração. Por fim, Barrie faz uso de intervalos curtos de meditação durante o dia para ajudá-la a relaxar nos momentos particularmente estressantes.

Os passos para meditar são simples e diretos, mas a prática não é tão fácil como parece. Você descobrirá que, no início, tentar silenciar a mente e manter o foco é como tentar adestrar pulgas. Mas, quanto mais praticar, mais fácil e agradável a experiência se torna.

Eis como o professor David Levy a descreve para o *USA Today:*[6] "Meditação é bem semelhante a fazer repetições na academia. Ela fortalece seu músculo da atenção".

De todas as estratégias traçadas neste livro, meditação é a que pode ter o impacto mais profundo em seu bem-estar geral. A meditação foi divulgada por muito tempo como um modo de melhorar concentração e foco, mas só recentemente há estudos que confirmam essa alegação.

- Um estudo da Universidade de Washington[7] mostrou que meditação aumenta a produtividade e estimula o foco.

- Outro estudo publicado no *Brain Research Bulletin*[8] endossa as declarações de que meditação pode reduzir estresse.

- Um estudo da Escola de Medicina da Universidade de Massachusetts[9] mostrou que meditação pode impulsionar sua inteligência global de várias maneiras.

- Outros estudos[10] mostraram que a meditação pode ajudar a inibir o envelhecimento do cérebro, melhorar os sintomas de depressão e ansiedade, expandir as áreas do cérebro ligadas à aprendizagem e memória e ajudar em casos de dependência de drogas.

- Uma pesquisa descobriu que meditação também promove o pensamento divergente, um tipo de pensamento que favorece a criatividade ao permitir a produção de várias novas ideias.

14

ORGANIZE SUA MENTE

Nosso ponto principal em compartilhar essa pesquisa é reforçar os proveitosos benefícios da meditação — benefícios não somente demonstrados por milhares de anos de evidência empírica, mas também validados por sólida pesquisa científica. Se você tem alguma dúvida de que meditação vale seu tempo e esforço, com sorte está começando a mudar de opinião.

Vamos começar com a meditação bem simples de dez minutos que Barrie e Steve praticam e que você pode começar hoje. Não há nada extravagante ou complicado na prática. Você não precisa de roupas especiais ou equipamentos. Tudo de que precisa é um local silencioso e vontade de se manter firme.

Aqui está um processo simples de 11 passos que você pode usar para criar o hábito da meditação:

1. Escolha um local silencioso e calmo para a sua prática de meditação, onde possa fechar a porta e ficar totalmente sozinho.

2. Determine um período específico do dia para sua prática. Se já iniciou uma prática de respiração profunda, você pode usá-la como gatilho (e ponto de partida) para seu novo hábito de meditação. Ou pode escolher outro gatilho e praticar meditação em outro período do dia.

3. Decida se quer meditar sentado em uma almofada no chão ou em uma cadeira com respaldo reto ou sofá. Tente não se curvar enquanto medita para evitar cair no sono.

4. Elimine todas as distrações e desligue todos os dispositivos digitais, ou outros dispositivos que façam barulho. Tire animais de estimação do espaço.

5. Ajuste um temporizador para dez minutos.

6. Sente-se confortavelmente ou em uma cadeira ou de pernas cruzadas no chão com um colchonete. Mantenha a coluna ereta e as mãos descansando calmamente no colo.

7. Feche os olhos ou deixe-os abertos olhando fixamente para baixo; então, faça pelo nariz algumas respirações profundas de purificação — recomendamos três ou quatro respirações de cada vez.

8. Aos poucos, torne-se consciente de sua respiração. Observe o ar se movendo para dentro e para fora através de suas narinas, bem como a subida e a descida de seu peito e abdômen. Deixe suas respirações virem naturalmente, sem forçá-las.

9. Foque a atenção na sensação de respirar, talvez inclusive mentalizando a palavra "dentro" ao inspirar e "fora" ao expirar.

PARTE I ORGANIZANDO SEUS PENSAMENTOS

10. Seus pensamentos vão divagar muito no início. Toda vez que fizerem isso, deixe-os ir aos poucos e, então, volte sua atenção à sensação de respirar.

Não se julgue por ter pensamentos invasivos. É só sua "mente de macaco" tentando assumir o comando. Apenas traga sua mente de volta à atenção focada na respiração. Talvez você tenha de fazer isso dezenas de vezes no começo.

11. Enquanto foca na respiração, é provável que observe outras percepções e sensações, como sons, desconforto físico, emoções etc. Apenas observe-as quando aparecem em sua consciência e, então, volte aos poucos à sensação de respirar.

Seu objetivo é se tornar, cada vez mais, a testemunha de todos os sons, sensações, emoções e pensamentos quando eles aparecem e se vão. Enxergue-os como se você os observasse a distância, sem julgamento ou comentário interno.

Em vez de sua mente assumir o controle e fugir todas as vezes que um pensamento ou distração ocorrer, você obtém, por fim, cada vez mais controle de sua mente e habilidade para redirecioná-la ao presente.

No início você se sentirá em uma batalha constante com sua mente de macaco. Mas, com a prática, não será necessário constantemente redirecionar seus pensamentos. Eles começam a desaparecer naturalmente, e sua mente se abre à imensa tranquilidade e vastidão de se estar apenas presente. Essa é uma experiência de profunda paz e satisfação.

Mestres de meditação definem esse espaço de tranquilidade como "lacuna" — o espaço de silêncio entre pensamentos. No início a lacuna é bem estreita, e é difícil permanecer nela por mais de alguns nanossegundos. Ao se tornar um meditador mais treinado você descobrirá que a lacuna se abre mais e com maior frequência, e você consegue repousar nela por períodos mais longos de tempo.

Você pode experimentar um breve momento do espaço entre pensamentos testando este exercício: feche os olhos e comece a observar seus pensamentos. Apenas veja-os ir e vir por alguns segundos. Então se pergunte: "De onde virá meu próximo pensamento?". Pare e espere pela resposta. Talvez você observe que há uma lacuna curta em seu pensamento enquanto espera pela resposta.

Eckhart Tolle, autor do livro *O Poder do Agora*, sugere que essa experiência da lacuna é como um gato vigiando um buraco de rato. Você está acordado e esperando, mas sem nenhum pensamento na lacuna.

Você também pode praticar esse exercício de "espaço entre pensamentos" colocando-se em um estado de escuta profunda. Sente-se em silêncio e escute com atenção, como se tentasse ouvir um som baixo e distante. Novamente, você está alerta, acordado e esperando sem a distração do pensamento.

Talvez você não vivencie um momento de lacuna nos primeiros dias de meditação. De fato, você se descobrirá constantemente redirecionando seus pensamentos, observando seus desconfortos físicos e se perguntando por que, afinal, está se incomodando com essa prática boba.

Talvez você se julgue com rigor por não estar "fazendo certo", ou se pergunte se está tendo algum progresso, afinal. Durante a meditação, sua mente pode divagar em um diálogo tortuoso sobre como você está se sentindo e como está indo a meditação. Ou, se está vivenciando um momento de espaço entre pensamentos, talvez se distraia pelo entusiasmo de finalmente vivenciá-lo.

Seu trabalho é sempre e tão somente observar e redirecionar sua mente de volta ao momento presente, à sua respiração. O objetivo da prática meditativa não é atingir o nirvana ou ter um despertar espiritual. É tão somente fortalecer o controle sobre sua mente até que ela capte a mensagem e se entregue. Os resultados de seus esforços serão uma casa mental que você controla, e não o contrário.

Alguns meditadores iniciantes preferem usar uma meditação guiada para ajudá-los a sentir a vibração da prática e permanecer focados. Você pode encontrar muitas meditações guiadas online, e há dezenas de aplicativos para smartphone disponíveis.

Recomendamos três para começar:

1. O Buddhify[11] tem inúmeras faixas de áudio de meditação guiada customizadas, sobre vários tópicos.

2. Omvana[12], com dezenas de meditações guiadas por autores, professores e celebridades ligadas a religiões ou de fortes convicções espirituais.

3. O Headspace[13] tem séries de exercícios guiados de dez minutos para a sua mente.

Se você descobrir que gosta de meditar, vá aumentando aos poucos a prática, de 10 minutos por dia para 30 minutos. Ou pode tentar as sessões de meditação de 15 minutos durante diferentes partes do dia.

PARTE I ORGANIZANDO SEUS PENSAMENTOS

Steve e Barrie consideram válido ter um diário de meditação para fazer anotações sobre suas experiências e sensações durante a meditação. Tente escrever nele imediatamente depois de meditar, quando a memória está recente. Escreva quão desconfortável ou distraído ficou, e se sentiu ou não o "espaço entre pensamentos" durante algum período de tempo. Da mesma forma, escreva sobre quaisquer mudanças em seu estado mental cotidiano — se está se sentindo mais ou menos ansioso, estressado ou preocupado.

Com o tempo, você terá uma prova refletindo como está se aprimorando por meio da prática, assim como a prática impactou seu estado mental global.

Agora, se meditação não é para você, aí talvez queira considerar um hábito diferente para aprender como reestruturar os pensamentos negativos que com frequência brotam em sua mente. Vamos falar sobre o próximo, então.

Hábito de Organização Mental Nº 3: Reestruture TODOS os Pensamentos Negativos

"Se pensa que pode ou se pensa que não pode, de qualquer maneira você está certo!"

– Henry Ford

Nossos processos de pensamento são necessários para sobrevivência e competição no mundo moderno. O pensamento crítico nos dá habilidade de resolver problemas de modo rápido e efetivo. O pensamento criativo nos permite desenvolver ideias e conexões originais, diversas e elaboradas. Mas são os pensamentos negativos indesejados que desorganizam nossas mentes e com frequência esgotam nosso entusiasmo pela vida.

De acordo com o psicólogo australiano Dr. Russ Harris, autor de *Liberte-se: Evitando as armadilhas da procura da felicidade*: "A evolução, portanto, moldou nossos cérebros de modo que somos conectados ao sofrimento psicológico: comparar, avaliar e nos criticar, focar naquilo que nos falta, ficarmos rapidamente insatisfeitos com o que temos e imaginar todos os tipos de situações assustadoras, a maioria das quais jamais acontecerá. Não é de admirar que humanos achem difícil ser feliz!".

Muitas pessoas passam a vida inteira se vitimizando pelos próprios pensamentos negativos. Elas sentem que não têm controle algum de quais pensamentos fixam residência em seus cérebros — e, o que é pior, acreditam que as "vozes" em suas cabeças lhes dizem que tudo está perdido.

Ainda que a predisposição à negatividade seja real, ela não é imune à mudança e autoconsciência de seus esforços. Embora possa parecer natural deixar sua mente divagar em preocupação e desespero, você reforçou o pensamento negativo por não tê-lo desafiado e por tê-lo aceitado como sua identidade. Mas você tem o poder para reconhecer essa tendência e mudá-la ao **construir o hábito de reestruturar**.

O primeiro passo é observar seus padrões de pensamento e interrompê-los antes que fujam do controle.

PARTE I ORGANIZANDO SEUS PENSAMENTOS

Aqui temos seis estratégias que você pode usar ao longo do dia para romper o padrão e começar a dominar sua mente.

Cada uma destas estratégias leva apenas alguns minutos para ser aplicada.

Estratégia nº 1: Seja o observador

Comece a se tornar ciente de seus pensamentos. Separe seu "eu" de seus pensamentos e apenas observe o que está acontecendo em sua mente.

O truque aqui é fazer isso de maneira imparcial, em que *não* esteja julgando nenhum pensamento específico. Apenas seja consciente de si mesmo como testemunha distante de seus pensamentos.

Esse exercício pode ser feito esporadicamente ao longo do dia *ou* durante uma sessão de meditação. Observar seus pensamentos em vez de se prender a eles tira o poder dos pensamentos e as emoções que eles estimulam.

Estratégia nº 2: Dê nome a esse pensamento

Outro modo de se separar de seus pensamentos é reconhecer mentalmente que eles não são nada mais que pensamentos — *não* sua realidade.

Por exemplo, se você pensa *"Nunca vou terminar de fazer isso"*, mude o diálogo mental para *"Estou tendo o pensamento de que nunca vou terminar de fazer isso"*.

Isso reforça o fato de que você e seus pensamentos não são a mesma coisa.

Estratégia nº 3: Apenas diga não

Quando você se pega em giros mentais ou preocupação, diga, simplesmente, "PARE!" bem alto (vocalizar reforça a interrupção) e, então, visualize uma porta pesada de metal batendo na frente de seus pensamentos descontrolados.

Barrie às vezes se visualiza empurrando pensamentos negativos para dentro de um buraco fundo ou colocando-os dentro de um balão que sai flutuando.

Estratégia n° 4: Experimente o truque do elástico

Use um elástico em seu pulso. Sempre que olhar para ele, pare e observe seus pensamentos. Se estiver preso em pensamentos negativos, coloque o elástico no outro pulso ou faça-o aparecer discretamente em seu pulso. Essa ação física interrompe o fluxo do pensamento negativo.

Estratégia n° 5: Conheça seus gatilhos

Com frequência, pensamentos excessivos e negatividade são acionados por uma pessoa, situação ou estado físico. Preste atenção a preocupações comuns e ansiedades que você fica ruminando.

Alguma coisa acontece que ativa isso em sua mente?

Em caso afirmativo anote os gatilhos para ficar ciente de quando eles acontecem. Essa consciência pode ajudar a impedi-lo de ficar emboscado por pensamentos negativos.

Estratégia n° 6: Distraia-se

Quebre o ciclo usando distrações. Faça algo que ocupará sua mente de modo que não haja espaço para pensamentos negativos. Mergulhe em um projeto que envolva foco e inteligência.

Se estiver parado dentro do carro ou esperando, repasse mentalmente as tabuadas ou tente memorizar um poema.

Hábito de Organização Mental N° 4: Ensine Novos Truques à Sua Velha Mente

Sinceramente, você sempre lutará contra um certo número de pensamentos negativos. Você não pode vencer milhões de anos de ligações evolutivas por pura força de vontade. Como o Dr. Russ Harris afirma: "Qualquer busca por uma 'existência livre de dor' está fadada ao fracasso".

No entanto, você pode administrar a dor ao ser mais proativo no que permite ficar em seus pensamentos.

Interromper pensamentos desorganizados é apenas parte do processo de treinar o cérebro e aprender a se dissociar de pensamentos negativos. Sua mente abomina o vácuo; **então, você precisa preencher o vazio com pensamentos construtivos para não recair nos velhos padrões.**

Aqui estão quatro maneiras de fazer isso:

N° 1: Desafie o pensamento e o substitua

Você pode observar que muitos de seus pensamentos são extremamente dramáticos. Eles não são a verdade, ou, pelo menos, não toda a verdade. Talvez você pense: "Sou um perdedor, nunca consigo fazer nada certo". Nesse momento com certeza você se sente um perdedor, mas, se examinar o pensamento, reconhece que ele não é totalmente verdadeiro. Você fez bem várias coisas e teve sucesso em muitas ocasiões.

Em vez de deixar o pensamento "ou tudo, ou nada" ter passe livre, desafie esses pensamentos negativos todas as vezes que ocorrerem. Isso significa, tão somente, conseguir um exemplo concreto que contradiga o pensamento ao se lembrar de um acontecimento positivo ou "triunfo" anterior.

Por exemplo, digamos que você é um escritor que recebeu uma avaliação negativa sobre um livro recente. Seu primeiro pensamento poderá ser: "Sou um escritor horrível — todo mundo odeia o que escrevo". No entanto, se você dedica um tempo para

PARTE I ORGANIZANDO SEUS PENSAMENTOS

dar uma olhada na centena de avaliações positivas anteriores, então reconhecerá que a maioria de seus leitores adoram seu conteúdo.

Usar lembretes positivos poderá ser estranho no início, mas em algum momento você se treinará para interromper esses ciclos de pensamento negativo. Esse hábito o ajuda a ter controle de sua realidade e coloca uma barricada na frente da estrada sem fim de crenças autossabotadoras.

Nº 2: Pratique a aceitação

Uma pergunta que você poderá fazer é: "O que você faz com esses pensamentos negativos que refletem a verdade?". Em outras palavras, como agir nesses momentos em que há razão legítima para ter pensamentos negativos?

Na realidade, há momentos em que você sente que é impossível manter uma perspectiva positiva. No entanto, também é verdade que os *pensamentos e sensações* sobre essas situações desafiadoras são com frequência bem piores que a situação em si.

Você não pode aniquilar totalmente pensamentos conturbados durante tempos difíceis, mas pode amenizá-los por meio da aceitação. Quando você bate de frente com a realidade ou uma situação ruim, está acrescentando outra camada de sofrimento à sua psique. Você não pode se preocupar ou se culpar como solução. Em vez disso, precisa de uma cabeça límpida e uma mente calma.

Quando se encontrar lutando e ruminando, pare por um momento e diga, simplesmente, "Eu aceito que esta situação está acontecendo". Respire fundo e, mentalmente, tente parar de lutar contra ela. Ao começar a aceitar esse desafio, você pode:

- Determinar quaisquer atitudes a tomar para melhorá-la ou corrigi-la.
- Ir atrás de qualquer coisa positiva que você pode aprender com ela.
- Encontrar maneiras de conseguir apoio enquanto a enfrenta.

Aceitar uma situação não significa que você está evitando a ação. Quer dizer que não está lutando às cegas e se agarrando à fuga. Você se coloca em um estado mental que lhe permite tomar a atitude correta e eficaz.

Nº 3: Tome atitudes conscientes

Pensar em excesso é, em geral, uma atividade sem sentido; então, por que não direcionar essa energia para pensamentos articulados e, depois, atitudes?

Quando seus pensamentos estão desorganizados, faça algo positivo que o desligará de pensamentos negativos. Quase tudo que exige alguma inteligência e foco fará o truque, mas sugerimos tomar uma atitude consciente — ação que enfoca seus valores, objetivos ou prioridades.

Um modo rápido de fazer isso é definir seus objetivos, algo que abordaremos na próxima seção. De fato, uma das primeiras atitudes conscientes que você poderia tomar é definir seus valores e prioridades para o próximo ano.

Algumas outras ideias que você poderá tentar incluir:

- Escrever.
- Praticar um instrumento.
- Construir algo com as mãos.
- Pintar ou desenhar.
- Trabalhar em um problema complexo.
- Estudar.
- Memorizar algo.
- Treinar um discurso.
- Projetar algo a partir de um esboço.

Todas essas atividades exigem foco e algum nível de desafio mental, o que ajuda a impedi-lo de cair de novo no excesso de pensamentos aleatórios ou preocupações.

Nº 4: Ajuste um temporizador de preocupações

Você não pode quebrar totalmente o hábito de se preocupar. Haverá momentos em que estará inundado de pensamentos negativos tão potentes que nenhuma quantidade de monólogo ou distração funcionará.

Mas, mesmo durante esses momentos, você não precisa mergulhar de cabeça na areia movediça da negatividade. Você pode limitar a quantidade de tempo que passa

PARTE I ORGANIZANDO SEUS PENSAMENTOS

em sua cabeça; dessa maneira, você não afunda tanto a ponto de não conseguir sair com facilidade.

Ajuste um temporizador entre 10 e 15 minutos e permita-se ficar estressado com qualquer coisa que entre em sua mente. Deixe tudo isso sair! Use esse momento para expressar todos os sentimentos e pensamentos guardados. De fato, durante sua "hora da preocupação" você poderá, inclusive, escrever seus pensamentos em um diário. Escrever à mão o ajuda a processar seus pensamentos e pode, com frequência, levá-lo a uma solução criativa para o problema.

Quando o temporizador soar, levante-se e faça algo que o distraia (conforme sugerido na estratégia anterior) para ajudá-lo a afunilar esse momento de preocupação. Se descobrir que uma sessão de preocupação não é o bastante, planeje uma primeira mais cedo e outra depois, à tarde. Quando começar a voltar para a sua cabeça entre sessões, lembre-se de protelar até a próxima.

Considerações finais sobre organizar seus pensamentos

Talvez você não use todas essas estratégias de treino mental para trabalhar de maneira mais construtiva, mas elas lhe dão um arsenal de ferramentas para escolher, de modo a prepará-lo. Barrie descobriu a habilidade de desafiar pensamentos e reconhecer como eles nem sempre refletem a realidade como especialmente úteis em reduzir preocupação e excesso de pensamentos.

Você descobrirá quais dessas práticas funcionam melhor para você e a desorganização mental que com frequência ocupa sua mente. Não desanime se você se encontrar caindo de novo em padrões antigos. A cada novo comportamento, você tem de praticar com regularidade antes que se torne mais automático.

Agora, vamos mudar de ritmo e falar sobre a importância de identificar seu "por quê" e como ele pode eliminar muitos dos obstáculos mentais que surgem e otimizar sua vida onde o foco está no que mais importa para você.

PARTE II
ORGANIZANDO
OS COMPROMISSOS
DE SUA VIDA

A Importância de Valores Essenciais

Um dos desafios da vida moderna é descobrir *o que é realmente importante* e diferenciar isso dos compromissos que parecem importantes à primeira vista mas que na verdade não são quando você os examina melhor. Se você é como a maioria das pessoas, então descobrirá que é cada vez mais difícil minimizar, organizar ou contornar o dilúvio de informações que encontra com regularidade.

Hoje, temos mais informações, dados e bens materiais disponíveis a nós do que em qualquer geração precedente, mas essa nova maneira de viver não vem com instruções de como administrá-la, afinal.

Muitos de nós nos sentimos tão sobrecarregados que fracassamos em dar um passo para trás e avaliar o impacto da sobrecarga de informações. Também não sabemos como priorizá-las. Apenas reagimos ao que a vida nos atira, em vez de analisar com cuidado o que é *melhor* para nós.

Nossos avós e bisavós certamente eram tão ocupados quanto nós. Eles não tinham o privilégio de toda a economia de tempo proporcionada pela evolução tecnológica para tornar suas vidas mais fáceis e mais produtivas. Mas tinham uma vantagem grande sobre nossa geração — não eram bombardeados pelo fluxo de informações e dilúvio de escolhas que vivenciamos a cada minuto.

Eles tinham clareza sobre como priorizar o próprio tempo, com menos dinheiro e menos escolhas para atrai-los ou confundi-los. A "Maior Geração", aqueles que cresceram durante a Grande Depressão, tinha valores e prioridades mais sólidos e claros, e um senso firme de propósito forjado nos anos difíceis durante e depois da Segunda Guerra Mundial.

Uma sólida ética profissional, aliada ao foco em família, fé e patriotismo definiu essa geração de norte-americanos. Eles sabiam quem eram e o que defendiam, e, portanto, como direcionar seu tempo e energia.

Felizmente, hoje em dia há uma solução simples para contornar o "ruído" da sociedade moderna, que pode ajudá-lo a tomar decisões eficazes todas as vezes que se sentir sobrecarregado por tantas opções disponíveis: **Defina seus valores essenciais**.

Por que valores essenciais?

Uma das maneiras mais simples de eliminar a desorganização mental e ter uma vida mais satisfatória é definir *seus* valores e princípios orientadores de vida. Agora, mais que nunca, precisamos desses princípios para nos ajudar a deixar claro como queremos investir nosso tempo, energia e dinheiro.

Por que isso é importante?

Porque seus valores essenciais podem servir como vareta de medição para todas as suas escolhas e decisões na vida, mantendo-o focado na pessoa que você quer ser e na vida que deseja levar. Ao viver em alinhamento com os seus valores, você cria o melhor cenário para felicidade, paz interna e clareza de pensamento.

Valores essenciais constituem uma base para a sua vida que perduram ao longo do tempo, das dificuldades da vida e das grandes mudanças. Abraçar seus valores essenciais é como ser uma árvore com raízes profundas e estáveis — as tempestades da vida não vão desalojá-lo. Quando seus princípios estão claros, você diminui confusão, excesso de pensamentos, preocupação e ansiedade.

Por exemplo, um dos valores essenciais na vida profissional de Barrie é liberdade e flexibilidade. Uma vez tendo definido esse valor, ela não quis ir atrás de um emprego tradicional das 9h às 17h porque sabia que não estaria feliz. Mesmo quando excelentes oportunidades de trabalho vinham até ela, era fácil dizer "Não, obrigada", porque tinha clareza dos próprios preceitos.

O blogueiro de desenvolvimento pessoal e autor Steve Pavlina assim descreve a importância de valores essenciais:

Valores atuam como uma bússola que nos coloca de volta no percurso todos os dias, de modo que a cada dia nos movemos na direção que nos leva para mais e mais perto de nossa definição da "melhor" vida que poderíamos viver. Esse "o melhor" é nosso próprio ideal, mas, em geral, quando você está próximo desse ideal, vai desfrutar cada vez mais de tons cada vez mais positivos de "melhor", mesmo que você nunca atinja "o melhor". E isso faz sentido porque muitos resultados na vida existem em um continuum.

Viver fora do alinhamento com os seus valores ou ultrapassar os valores existenciais pode jogá-lo fora do percurso e contribuir para sentimentos de ansiedade e depressão. Se você não definiu os seus valores, sua vida pode parecer desequilibrada ou sem direção, e talvez você não saiba por quê.

Nesta seção, examinaremos quatro estratégias para definir os seus valores essenciais e tomar decisões inteligentes a respeito dos seus compromissos de vida, de modo que suas atitudes no dia a dia correspondam a esses itens importantes.

Estratégia Nº 1: Identifique os SEUS Valores Essenciais

Para entender por que parece haver algo errado, você deve ter uma compreensão sólida sobre o que é certo para você. Quem você quer ser e como quer viver sua vida?

Se você nunca definiu seus ideais, está navegando sem bússola no mar da vida. Está deixando que os ventos e tempestades definam sua direção e aceitando o resultado sem questionar. Mesmo que você os tenha definido no passado, revisitá-los não dói, já que seus princípios mudam com o tempo.

Aqui está um processo de seis passos para definir seus valores.

1. Primeiramente, analise a lista de palavras de valor que você encontra neste livro após a seção Conclusão e anote todas as que lhe parecerem importantes para a sua vida pessoal.

2. Depois, analise novamente a lista e anote todas as palavras de valor que pareçam importantes para a sua carreira ou negócio.

3. Para ambas as listas, escolha cinco ou seis valores principais e anote-os em duas folhas de papel separadas. Em uma folha, coloque o título "Valores de vida" e, na outra, "Valores de trabalho".

4. Abaixo de cada um, liste todos os modos por que atualmente você está vivendo fora de alinhamento com esse valor. Por exemplo, se um de seus princípios é passar bons momentos com sua família mas você viaja cinco dias por semana, talvez você não esteja honrando esse princípio.

5. Para cada valor, pense em atitudes que você poderia tomar para consertar essas situações fora de alinhamento. Pergunte-se: "O que preciso fazer para corrigir essa situação de modo a honrar meus valores essenciais?".

   Se você usar o exemplo do tempo com a família, talvez uma atitude seja reduzir sua agenda de viagens ou contratar algumas tarefas domésticas quando estiver em casa, a fim de passar mais momentos agradáveis com a família. Anote isso tanto para a vida como para o trabalho, mesmo que essas atitudes pareçam impossíveis neste instante.

PARTE II ORGANIZANDO OS COMPROMISSOS DE SUA VIDA

6. Em ambas as listas de atitudes, coloque um "visto" ao lado daquelas que são viáveis para você agora ou no futuro próximo. Separe essas atitudes em outras ainda menores e facilmente administráveis, que poderão envolver fazer ligações, reorganizar sua agenda, delegar algumas responsabilidades, pensar em ideias sobre uma possível mudança de carreira, pensar em maneiras de reatar com seu cônjuge etc.

Uma vez que você tiver uma lista de valores alinhados com seus objetivos, revise-a no dia a dia e certifique-se de que as condutas que tomar correspondam aos resultados desejados. Talvez no início você queira focar em seus valores pessoais e, depois, nos profissionais. Ou poderá escolher um de cada e começar daí.

Independentemente da escolha, certifique-se de começar pela área de sua vida com a qual você se sinta mais desconectado. Essa é aquela em que talvez você sinta a maior dor interna e agitação mental. Vá ajustando dia após dia sua lista de atitudes, a fim de criar mudanças e laços que o impeçam de se afastar novamente de seus valores de maneira irrefletida.

Mesmo que pequenas, mudanças adicionais podem criar uma alteração enorme e positiva em sua atitude. Você terá um senso de direção e um propósito que lhe parecerão autênticos, mesmo que não possa agir sobre eles de modo imediato. Essa é uma sensação incrivelmente empoderadora!

Você ainda terá períodos de transição e agitação, mas esse exercício de valores fornece a você as ferramentas para navegar por todos os altos e baixos da vida.

Estratégia Nº 2: Deixe Claras as Prioridades de Sua Vida

Uma vez tendo definido seus valores essenciais, será importante usar essa informação para completar outro exercício que vai enriquecer sua vida — **deixe claras suas prioridades para saber exatamente como quer investir seu tempo, energia e dinheiro.**

Sem conhecer as prioridades, deixamos que as pressões da vida determinem nossas atitudes e decisões. Um e-mail chega, e nós respondemos. Uma oferta sedutora aparece em nossa página do Facebook, e nós a compramos. Alguém interrompe o fluxo de nosso trabalho, e nós permitimos. Quando não conhecemos o maior "por quê" de nossas vidas, não há regras, limites ou prioridades que ajudem.

Aqui está outro exercício que recomendamos e que vai ajudá-lo a descobrir em que atualmente você está investindo tempo, energia e dinheiro.

Responda às seguintes questões o mais honestamente possível. (Certifique-se, também, de ter em mãos sua lista de valores essenciais pessoais e profissionais enquanto responde.)

- Quanto tempo por dia você sente que desperdiça com atividades que não têm relação com seus valores essenciais (por exemplo, navegar na internet, assistir a programas ruins de TV, fazer compras ou trabalhar em um emprego que odeia)?
- Como você está gastando dinheiro de maneira inconsciente?
- Como você está interagindo de maneira inconsciente com as pessoas com quem se importa?
- Como você toma decisões de carreira (isto é, você tem um plano predeterminado ou passa a maior parte do dia em "modo reativo")?
- Quanto tempo você passa pensando sobre como poderia investir melhor seu tempo e energia?
- Quais tarefas, compromissos e relações está permitindo de modo inconsciente em sua vida?
- Como você está negligenciando partes importantes de sua vida para as quais parece nunca ter tempo?

PARTE II ORGANIZANDO OS COMPROMISSOS DE SUA VIDA

Agora que percebe como está realmente investindo energia e foco, vamos determinar a maneira ideal que gostaria de priorizar as áreas importantes de sua vida.

Para esta abordagem, vamos dar uma olhada nas **sete principais áreas da vida**, a fim de ajudá-lo a estabelecer suas prioridades e como quer investir seu tempo e dinheiro.

Se quiser acrescentar ou excluir quaisquer destas áreas, fique à vontade se elas não se aplicarem a você agora. As áreas são:

1. Carreira

2. Família

3. Casamento (ou relação amorosa)

4. Crescimento espiritual/pessoal/autoaprimoramento

5. Lazer/vida social

6. Gestão de vida (isto é, tarefas domésticas, planejamento financeiro e orçamentário etc.)

7. Saúde e condicionamento físico

Se você dorme 8 horas por dia, sobram 16 horas acordado. Vamos excluir 2 horas por dia para atividades de higiene pessoal e alimentação. Sobram 14 horas por dia acordado ou 98 horas por semana. Para facilitar, vamos arredondar para 100 horas por semana.

Em um mundo ideal, como você priorizaria essas sete áreas-chave de sua vida? Quantas horas dessas 100 por semana você preferiria dedicar a cada área (usando seus valores para ajudar a guiá-lo)?

Dois exemplos...

As prioridades da vida atual de Barrie têm foco maciço em carreira, relação amorosa e gestão de vida. Seus filhos são adultos jovens e, já que se mudou recentemente para uma cidade nova, muitos de seus amigos e familiares não estão por perto.

Preferencialmente, ela gostaria de dedicar mais tempo para o lazer e atividades sociais, bem como para condicionamento físico e autoaprimoramento. Ela está tentando focar mais nessas coisas para ficar mais aclimatada à sua nova localidade.

ORGANIZE SUA MENTE

A prioridade atual de Steve tem foco maciço na família, por conta de seu casamento recente, do nascimento de seu filho e do fato de que seus pais acabaram de completar 70 anos de idade. Portanto, seu objetivo atual é passar o maior tempo possível com as pessoas que mais ama no mundo.

Alguns anos atrás sua carreira (isto é, o negócio online) e seu condicionamento físico foram as maiores prioridades, mas agora elas são menos importantes que suas relações interpessoais. Com frequência, isso significa "abandonar" os principais objetivos que uma vez pareceram importantes. Então, mesmo que ainda goste de trabalhar duro, ele aprendeu a não se sentir ansioso se não conseguir atingir uma meta importante relacionada a seu negócio ou seu condicionamento físico.

Agora, esses são apenas dois exemplos dos autores. Para ajudá-lo a descobrir suas prioridades, recomendamos responder a duas perguntas simples:

1. O quanto sua prioridade de vida atual efetiva é diferente de seu ideal?
2. Quais são algumas das atitudes que pode tomar para direcionar esforços ao que realmente importa para você?

Recomendamos começar com a prioridade que pode fazer a diferença mais positiva em sua vida ou na qual você sinta o maior desequilíbrio. Talvez você descubra que essa área reflete um ou mais de seus princípios que você não está honrando.

Por exemplo, você terá um valor essencial relacionado a família, e como prioridade de vida passar mais tempo com ela. Comece aos poucos, tomando a decisão de acrescentar uma hora extra por semana passando um bom tempo com sua família.

Naturalmente, isso vai excluir alguma outra atividade, mas com frequência você tem algo que pode ser excluído com facilidade — ou, pelo menos, algo que não seja uma grande prioridade.

Continue acrescentando um tempo semanal para suas prioridades de vida até tê-las reajustado ao que ficar mais próximo de seu ideal.

Às vezes, mudar uma prioridade pode ser difícil. Se quer passar mais tempo com sua família, isso vai impactar sua agenda de trabalho? Em caso afirmativo, o que você precisa fazer para administrar qualquer indisposição?

Se quer focar mais em sua saúde e condicionamento físico, será necessário criar hábitos novos e desafiadores para se assegurar de que vai seguir essa prioridade.

PARTE II ORGANIZANDO OS COMPROMISSOS DE SUA VIDA

Caso deseje um casamento saudável e feliz, talvez tenha de desistir do tempo na frente da TV ou do computador, o que será difícil no começo.

Apenas atestar suas prioridades de vida não é o bastante. Você deve tomar as medidas necessárias e por vezes difíceis para fazer as mudanças que deseja ver em sua vida. Porém, quanto mais perto chega de seu ideal, menos sentirá conflito interno e luta.

Com o tempo, você não sentirá falta dos antigos hábitos, escolhas e comportamentos — e sua vida fluirá com mais facilidade porque você está vivendo de maneira autêntica, fiel a seus valores e prioridades.

Exercício Nº 3a:
Foque em uma Definição Consciente de Metas

Um resultado natural de ter valores e estabelecer prioridades é considerar como eles se aplicam em sua vida no futuro. Embora preocupar-se com o futuro contribua para uma mente instável, *planejar* para o futuro é um exercício importante e válido que pode preparar o terreno para a verdadeira realização nos anos que virão.

Mas será mesmo possível olhar em direção a um futuro melhor e *ainda* estar feliz com a própria vida neste instante? Você é capaz de estar contente *e* evoluído ao mesmo tempo? Acreditamos que seja possível focar no futuro enquanto ainda se aprende como desfrutar do momento presente.

Há muitos grandes escritores e pensadores filosóficos que falam sobre contentamento no momento presente. O renomado psicólogo Abraham Maslow nos lembra de que "a habilidade de estar no momento presente é um componente fundamental do bem-estar mental".

Thích Nhat Hanh, monge zen-budista e autor de best-sellers, ensina que cada momento em sua vida, cada respiração, cada passo que dá deveria ser vivenciado de maneira consciente como um alegre momento de chegada.

Ele sugere que você não precisa esperar pela mudança, por algo melhor, pelo futuro antes de estar contente. Você pode estar contente neste instante se escolher enxergar tudo de bom e de belo à sua volta no momento presente.

Naturalmente, *é mais fácil falar que fazer.*

As realidades de nossas vidas cotidianas estão constantemente nos arrastando para o futuro. Ficamos preocupados com pagar as contas, como nossos filhos vão se sair ou se vamos continuar saudáveis. E a verdadeira natureza do estabelecimento de objetivos é voltada para o futuro.

Ansiar por e lutar contra "o que é" causa sofrimento. Querer mais, querer algo diferente, algo melhor à custa de contentamento momentâneo nos rouba a vida.

PARTE II ORGANIZANDO OS COMPROMISSOS DE SUA VIDA

Se esse é o caso, por que você deveria focar em seus objetivos futuros se eles o afastam do momento presente?

Porque mudança e transformação vão lhe acontecer independentemente de você decidir focar nelas ou não.

Mudança é uma constante da vida, não importa se estamos sentados na posição de lótus absortos no momento ou contorcendo as mãos por algum resultado futuro imaginado. Então, também teremos de criar nossos futuros de maneira atenta.

Quando você abraça a verdade de que contentamento e mudança podem acontecer simultaneamente, você reduz a tensão entre pensar em um ou outro. Há um modo de estabelecer um equilíbrio entre atenção plena e autocriação.

Você pode considerar *o processo* de criar e atingir seus objetivos como um local para felicidade e contentamento. Em vez de refrear a felicidade enquanto espera por um resultado, desfrute de cada passo ao longo do caminho. Cada relação, cada pequena atitude em direção a seus objetivos deveria ser saboreada e comemorada.

Sabendo que a criação de objetivos não é incompatível com atenção plena, vamos abordar como criar e trabalhar em direção a seus objetivos de um modo que sustente o maior "por quê" de sua vida.

Ao se sentar pela primeira vez para analisar seus objetivos para o futuro, lembre-se de ter em mãos seus valores essenciais e prioridades de vida como pontos de referência. Contanto que seus princípios e prioridades continuem válidos, é bom que eles sejam a bússola para direcionar seus objetivos. De outro modo, você vai se preparar para um futuro de frustração e infelicidade.

Na próxima seção, examinaremos o processo que Steve usa para criar objetivos simples focados no que é realmente importante. A vantagem dessa estratégia é que você se sentirá menos estressado com o futuro e, em vez disso, focará no que está acontecendo atualmente em sua vida.

Estratégia Nº 3b: Crie Objetivos S.M.A.R.T. Trimestrais

A maneira mais simples de focar no que é realmente importante na vida é criar objetivos S.M.A.R.T. que serão alcançados em um futuro imediato. Isso significa que você determinará objetivos para cada trimestre em vez de objetivos anuais que com frequência o tiram do momento presente.

Para começar, vamos abrir com uma simples definição de objetivos S.M.A.R.T.:

George Doran[14] foi o primeiro a usar o acrônimo S.M.A.R.T., na edição de novembro de 1981 do *Management Review*.

Ele significa: **S**ingular, **M**ensurável, **A**tingível, **R**elevante e **T**emporal. Eis como funciona:

S: Singular

Objetivos *Singulares [ou Específicos]* respondem a seis questões: *quem, o quê, onde, quando, qual e por que.*

Quando conseguir identificar cada elemento, você saberá quais ferramentas (e atitudes) são exigidas para atingir um objetivo.

- Quem: Quem está envolvido?
- O quê: O que você quer realizar?
- Onde: Em que lugar você vai concluir o objetivo?
- Quando: Quando você quer fazer isso?
- Qual: Quais requisitos e obstáculos poderão aparecer em seu caminho?
- Por que: Por que está fazendo isso?

Especificar é importante porque, quando você atingir essas metas (data, local e objetivo), saberá com certeza se atingiu seu objetivo.

M: Mensurável

Objetivos *Mensuráveis* são definidos com prazos, quantidades ou outras unidades precisas — basicamente, tudo aquilo que mede o progresso em direção a um objetivo.

Criar objetivos mensuráveis torna fácil determinar se você tem progredido do ponto A até o ponto B. Objetivos mensuráveis também o ajudam a descobrir quando está indo na direção certa e quando não está. Geralmente, um objetivo mensurável responde a questões do tipo "quanto", "quantos" e "quão rápido".

A: Atingível

Objetivos *Atingíveis* definem os limites do que você pensa que é possível. Mesmo que não sejam impossíveis de concluir, com frequência são desafiadores e cheios de obstáculos. A chave para criar um objetivo atingível é olhar para a sua vida atual e determinar um objetivo que pareça *ligeiramente* além de seu alcance. Desse modo, mesmo se você falhar, ainda realiza algo significativo.

R: Relevante

Objetivos *Relevantes* são aqueles que você realmente deseja. Eles são o oposto exato de objetivos inconsistentes ou dispersos. E estão em harmonia com tudo o que é importante em sua vida, de sucesso na carreira a felicidade junto às pessoas que você ama.

T: Temporal

Objetivos *Temporais* têm prazos específicos. Espera-se que você atinja seu resultado desejado antes de uma data-limite. Objetivos temporais são desafiadores e bem fundamentados. Você pode estabelecer sua data-limite para hoje ou estabelecê-la para daqui a alguns dias, alguns meses, algumas semanas ou alguns anos a partir de agora. A chave para criar um objetivo temporal é estabelecer um prazo que alcançará trabalhando de trás para adiante e desenvolver hábitos (mais sobre isso depois).

Objetivos S.M.A.R.T. são claros e bem definidos. Não há dúvida sobre o resultado que você quer atingir. No fim do prazo você saberá se *atingiu* ou *não atingiu* um objetivo específico.

Como exemplo, aqui estão objetivos S.M.A.R.T. relacionados às sete áreas da sua vida que mencionamos na seção anterior:

1. Carreira: "Vou conseguir cinco novos projetos para minha consultoria em webdesign por meio de indicações, trabalho em rede e campanhas de marketing em mídias sociais dentro de dois meses".

2. Família: "Vou fortalecer meus laços com minha família levando-os para tirar férias pelo menos uma vez a cada seis meses. Isso será atingido reservando uma hora por mês durante minha sessão de revisão e planejando ideias para viagens futuras".

3. Casamento (ou relação amorosa): "Vou identificar três coisas que realmente amo em meu parceiro/a e lhe dizer na sexta-feira à noite. Isso será feito programando um cronograma de 30 minutos na terça-feira para que eu possa me lembrar de todos os bons momentos que compartilhamos".

4. Crescimento espiritual/pessoal/autoaprimoramento: "Vou separar cinco minutos por dia para agradecer por tudo de bom em minha vida. Vou desenvolver isso reservando tempo logo antes de almoçar para lembrar o que é importante".

5. Lazer/vida social: "Vou dedicar três horas por semana para aprender e praticar pintura em aquarela. Isso será feito eliminando hábitos insignificantes como assistir à TV".

6. Gestão de vida: "Vou economizar 10% de cada pagamento e investir em fundos indexados pensando na aposentadoria".

7. Saúde e condicionamento físico: "Vou me exercitar por no mínimo 30 minutos por dia, três dias por semana até o dia 31 de dezembro".

Espera-se que esses sete exemplos lhe deem uma ideia de como criar objetivos S.M.A.R.T. que levam a uma vida equilibrada. Agora, vamos examinar um processo de seis passos que transformará essa informação em ação.

Passo nº 1: Identifique o que é importante para você

A chave para atingir objetivos significativos *não é* focar em todas as áreas da sua vida. O motivo é simples: você quer encontrar sentido no que faz, então rapidamente irá se sentir sobrecarregado caso seus dias estejam comprometidos com uma longa lista de de objetivos. Sim, é importante pensar de modo visionário, mas você também quer tempo suficiente para viver no momento presente.

Nosso conselho é **focar em três ou quatro áreas da sua vida**. Você pode fazer isso dando uma olhada nas sete áreas que abordamos e identificar o que é mais

PARTE II ORGANIZANDO OS COMPROMISSOS DE SUA VIDA

importante para você neste instante. A partir daí, simplesmente crie objetivos que explorem um resultado que você considere tanto desafiador como estimulante.

Passo n° 2: Foque em objetivos por três meses

Foi Steve quem sentiu na pele que objetivos de longo prazo estão constantemente mudando. O que parece urgente hoje não é importante no mês seguinte. Então, a estratégia que funciona *para ele* é pegar as principais prioridades de sua vida e, depois, dividi-las em objetivos ou trimestrais.

Por que você deveria focar em objetivos de três meses?

Porque sua vida é acelerada e está constantemente mudando. Para acompanhar todas essas mudanças, é melhor criar com frequência objetivos de curto prazo porque isso ajuda a manter esforço consistente e um alto nível de motivação.

Steve também se deu conta de que objetivos longos (isto é, qualquer coisa acima de seis meses) são, com frequência, *desmotivadores*. Quando você sabe que um resultado está há meses de distância, é fácil postergar a tomada de atitudes consistentes. Você continua deixando os seus objetivos para depois, prometendo que trabalhará neles *na próxima semana*. De repente, um ano se passou e nada foi cumprido.

Então, para simplificar as coisas, recomendamos que você identifique de três a quatro áreas da sua vida que são mais importantes para você *neste instante* e, depois, crie um objetivo S.M.A.R.T. específico para cada uma que você espera alcançar dentro dos próximos três meses.

Passo n° 3: Use uma revisão semanal para criar um cronograma

Não é sempre fácil trabalhar de modo consistente em seus objetivos quando você tem uma dezena de outras obrigações. Felizmente, há uma solução simples para esse dilema — agendar uma sessão de revisão por semana, na qual você cria um plano de ação diário para os próximos sete dias.

A revisão semanal é um excelente conceito que David Allen ensina em *A Arte de Fazer Acontecer*. É um processo simples. Uma vez por semana (Steve prefere os domingos), dê uma olhada nos próximos sete dias e agende as atividades/projetos que gostaria de realizar.

Você pode realizar todas elas com estes três passos simples:

1. **Responda a três questões:** Pense com cuidado nos próximos sete dias e responda a estas três questões: *Quais são meus compromissos pessoais? Quais são meus projetos prioritários? Quanto tempo tenho?*

    Suas respostas a essas questões são extremamente importantes, porque vão determinar a quantidade de tempo que pode ser dedicada a seus objetivos durante os próximos sete dias.

    A lição aqui é que você *não deveria* agendar centenas de atividades em sua semana. Esse é o caminho mais rápido para uma vida mentalmente desorganizada. Em vez disso, é melhor reconhecer, com antecedência, uma quantidade realista de tempo que pode ser dedicada a seus objetivos importantes.

2. **Agende tarefas do projeto:** Depois de responder a essas três questões, mapeie os próximos sete dias. A maneira mais simples de fazer isso é dar uma olhada na lista para cada objetivo e agendar tempo para dar continuidade às atividades mais importantes.

3. **Processe ideias captadas:** Se você é como Barrie e Steve, então provavelmente tem *dezenas* de grandes ideias toda semana relacionadas a seus objetivos. A questão é: como dar continuidade a elas? Meu conselho é processar essas informações, escolhendo uma entre estas duas coisas: 1) Aja imediatamente ou 2) agende um momento em que lhes dará continuidade. Aqui está como isso funcionaria:

    Se a ideia é viável... então, escreva um plano com passo a passo sobre como você vai fazer isso. Simplesmente escreva uma série de atitudes que você vai tomar a respeito dessa ideia e, então, agende essas ideias para a sua semana.

    Se a ideia NÃO é viável... então, coloque-a em uma pasta de arquivos para ser revisada todo mês. Se fizer isso para cada ideia que tiver, você não vai se esquecer de dar continuidade a ela no momento certo.

A revisão semanal é uma parte importante para atingir seus objetivos. Quando você planeja cada semana, cria um senso de urgência, deixando mais provável que dará continuidade a cada objetivo. Sua revisão semanal também vai ajudá-lo a criar um cronograma que você poderá transformar em uma lista de atividades diárias.

Passo n° 4: Tome as necessárias providências em relação a seus objetivos

É impossível atingir seus objetivos sem ação. De fato, o truque para conseguir o que se quer é agendar tempo na semana que seja dedicado somente a seus objetivos. É por isso que recomendamos as seguintes atitudes:

PARTE II ORGANIZANDO OS COMPROMISSOS DE SUA VIDA

- **Transforme seu objetivo em um projeto**: A maneira mais fácil de fazer isso é dar uma olhada na data-limite e trabalhar de trás para a frente. Visualize-se alcançando essa meta. Quais os passos específicos que você executou para chegar a esse ponto? Uma vez que identificou as ações, simplesmente coloque-as em uma lista simples, com passo a passo.

- **Agende tempo para trabalhar nos objetivos**: *Quanto tempo* você passa em cada objetivo depende do que é exigido para cada atividade. Algumas tarefas podem levar apenas alguns minutos por semana, enquanto outras exigem horas de seu dia (é por isso que é importante entender o tempo de comprometimento de cada objetivo). Descubra de quanto tempo você vai precisar para cada tarefa e agende-as em sua semana.

- **Transforme objetivos em atividades prioritárias**: Todos nós temos essas agendas ocupadas cheias de atividades que entram em conflito uma com a outra. A solução? Comece o dia trabalhando nos objetivos como a primeira coisa a fazer durante a manhã, ou em algum outro período em que se sinta mais disposto.

- **Agende tempo para ações isoladas**: Muitas pessoas ficam atoladas pelas ações isoladas que são importantes mas não têm urgência imediata. Uma solução rápida para isso é agendar tempo a cada semana para finalizar certo número de ações isoladas.

  A ferramenta que Steve usa para essas ações isoladas é o aplicativo ToDoist[15]. Sempre que estabelece uma meta trimestral, ele a cria como um projeto no ToDoist e, depois, acrescenta todas as ações isoladas exigidas para alcançá-la. Finalmente, ele agenda ações específicas em seu calendário semanal.

  (Para saber mais sobre como fazer isso, no ToDoist[16] há um guia abrangente que eles prepararam e que vai ajudá-lo a caminhar pelo processo na íntegra.)

Passo n° 5: Revise seus objetivos

A chave para alcançar qualquer coisa na vida é *consistência*. É por isso que você deveria revisar o seu "projeto de objetivos" diariamente e se certificar de que está atingindo todos os marcos importantes. Recomendamos criar medidas específicas para cada passo do processo e usar uma revisão semanal para assegurar que você também as esteja abordando.

Reservar tempo para uma revisão diária é um passo-chave para alcançar qualquer meta. Não importa quão ocupado você está — se não estiver revendo os seus objetivos todos os dias, será menos provável ter êxito.

A verdade é que, às vezes, a vida pode atirar pedras enormes em sua busca por um objetivo de longo prazo. Com frequência, esses desafios podem ser frustrantes e fazer com que você se sinta menos empolgado em relação a um propósito. Então, nosso conselho é simples: revise seus objetivos *pelo menos* de duas a três vezes por dia. Desse modo, você pode mantê-los à frente na sua mente e lembrar-se do porquê de estar executando uma ação específica por dia.

Passo nº 6: Avalie seus objetivos trimestrais

Você trabalha duro em seus objetivos todos os dias. Você até os revisa toda semana ou todo dia. O problema? Algumas pessoas nunca dão um passo para trás e entendem o "por quê" por trás de cada meta. Em outras palavras, pessoas não revisam seus objetivos para ver se persegui-los *realmente* vale a pena. É por isso que é importante avaliar seus objetivos a cada três meses, ter certeza de que eles estão alinhados com seu propósito de vida e, aí, criar novas metas com base no que você aprendeu.

Você pode concluir essa avaliação respondendo a algumas questões:

- Atingi o resultado desejado?
- Quais foram as estratégias de sucesso *e* de insucesso?
- Coloquei 100% de meu esforço para alcançar esses objetivos? Se não, por quê?
- Consegui resultados consistentes com meus esforços?
- Será que devo criar uma meta similar para o próximo trimestre?
- Quais objetivos eu deveria excluir ou alterar?
- Há alguma coisa nova que eu gostaria de tentar?

Embora leve algumas horas para finalizar essa avaliação, você deveria sempre reservar um tempo para fazer isso a cada trimestre. Ela será sua medida máxima de segurança contra o desperdício de tempo em um objetivo que *não* se alinhe com seus planos de longo prazo.

Bem, essa foi uma breve introdução à importância de se estabelecerem objetivos S.M.A.R.T. Agora, a melhor maneira de ter certeza de que você está realmente estabelecendo objetivos que quer de verdade é conectá-los com uma paixão pessoal. Na próxima (e última) estratégia, vamos mostrar a você como fazer isso.

Estratégia Nº 4:
Conecte Seus Objetivos
Com Suas Paixões

Muitas pessoas vivem vidas de desespero tácito. Elas acordam com um senso reduzido de temor, ansiedade ou tristeza. No trabalho, sentem-se subutilizadas, não apreciadas e desiludidas. E, ao voltar para casa, sentem-se mental e fisicamente exaustas, com energia suficiente apenas para cuidar dos filhos, preparar uma refeição e se esparramar no sofá para assistir a algumas horas de televisão. Então, elas acordam e *fazem tudo isso de novo.*

Mesmo que isso não o descreva exatamente, tenho certeza de que pode estar relacionado. *Todos nós* entramos na rotina habitual. Aceitamos menos que nossos sonhos. Permanecemos em empregos que não nos inspiram nem nos fazem felizes. Toda essa angústia contribui para nossa desorganização mental e distração.

A vida tem um jeito de nos engolir, e antes de nos darmos conta estamos longe, em um caminho que não diz nada sobre quem somos ou o que queremos para nossas vidas. No momento em que tomamos consciência disso, temos compromissos e responsabilidades que acrescentam, ainda, outro motivo para continuar no *status quo* — mesmo odiando-o.

Mesmo que o conceito de "encontrar sua paixão" possa lembrá-lo dessas frases de efeito que com frequência você vê no Facebook ou no Instagram, ainda é incrivelmente importante conectar o que você faz no cotidiano com objetivos que sente que são importantes de verdade.

A realidade é que sua saúde mental pode sofrer um impacto negativo quando você se sente insatisfeito no trabalho. Pensar em quanta energia mental negativa você dedicou a um chefe ruim, um emprego ou carreira que detesta gera arrependimento. Passamos trechos imensos de nossas vidas trabalhando, então, a decisão que *você* toma a respeito de seu emprego terá potencial para gerar ou arruinar sua felicidade global.

Se você encontra um ofício que ama, não somente libertará sua mente de pensamentos opressores como, também, se sentirá energizado em todas as áreas de sua vida.

PARTE II ORGANIZANDO OS COMPROMISSOS DE SUA VIDA

Então, o que significa viver sua paixão?

Acreditamos que isso possa ser definido com alguns exemplos:

- Na maior parte dos dias você acorda entusiasmado e feliz com o que está acontecendo.
- Você sente que está no lugar "certo", fazendo algo no trabalho ou na vida que lhe soa autêntico com quem você é e como está conectado.
- Você atrai pessoas interessantes e da mesma mentalidade em sua vida e trabalho.
- Você tem uma sensação de autoconfiança e empoderamento sobre o que está fazendo porque é uma adequação total a você.
- Você vivencia um propósito ou significado mais profundo — ou, pelo menos, você está mais satisfeito no geral.
- Sua vida global está melhor e seus relacionamentos são mais felizes porque você está mais contente, autodirecionado e presente em seu emprego.

Encontrar sua paixão e torná-la parte de sua vida não acontece da noite para o dia, e não é um processo exato. Não é como ensiná-lo a seguir uma receita ou trocar o óleo do carro. Envolve uma variedade de ações e experimentos para se descobrir.

Cada um que está lendo este livro é único. Todos temos personalidades, aptidões, sonhos e compromissos de vida diferentes. O que *você* determina que é sua paixão pode diferir do que outros descobrem para si. Por isso, recomendamos um exercício de 14 passos para encontrar sua paixão.

Passo 1: Escreva um panorama

Usando os seus valores e prioridades como guias, escreva o que você quer em cada área de sua vida — especialmente no trabalho. Talvez você não saiba com precisão o que incluir, mas um bom ponto de partida é descrever o que você NÃO quer.

Por exemplo, quando Barrie escreveu o seu panorama de vida há alguns anos, ele era assim:

> Vivo em uma cidade interessante, avançada e vibrante, onde desfruto de natureza, artes, cultura, ótima comida e pessoas que têm a mesma mentalidade que eu. Estou trabalhando em uma carreira que amo, na qual ajudo pessoas utilizando minhas habilidades de coach e interpessoais, bem como minhas habilidades de escrever e de criar.
>
> Meu trabalho é flexível e me permite liberdade para trabalhar de qualquer lugar. A renda continua a crescer, mas não permito que minha carreira crie desequilíbrio em minha

vida.

Estou em um relacionamento de amor, respeito e apoio mútuo com um homem inteligente, criativo, engraçado, gentil e ético. Tenho uma rede de amigos próximos e solidários, uma família com quem passo tempo com regularidade, e tenho uma relação amorosa e positiva com cada um de meus três filhos jovens adultos. Com frequência desfruto da natureza e viajo para novos lugares várias vezes por ano. Permaneço ativa, entusiasmada e consciente sobre minha saúde a cada ano que passa, continuo aberta a novas oportunidades e possibilidades para minha vida.

Ela pode dizer com honestidade que tornou esse panorama real ao se mudar para uma cidade nova, montar um negócio online de desenvolvimento pessoal e ajudar terceiros, fazendo viagens maravilhosas e nutrindo suas relações, saúde e liberdade.

Nossa recomendação é escrever seus desejos e, depois, revisá-los ao longo do caminho, sempre que reconhecer algo que quiser/não quiser em sua vida. Por fim, afixe o panorama onde possa vê-lo todos os dias.

Passo 2: Revisite sua vida atual

Se você sente que está focado demais naquilo que *não gosta* em sua vida, então dê uma olhada em sua vida atual para ver o quanto dela corresponde ao panorama do exercício anterior. Você quer preservar essas coisas, e lembre-se de que parte de seu panorama já está acontecendo... neste instante!

Escreva uma lista de tudo em seu trabalho que você aprecie ou veja como positivo — seja a cadeira confortável ou o cliente de quem realmente goste. Escreva a mesma lista para a sua vida pessoal, incluindo tudo que esteja dando certo para você.

Não jogue o bebê fora com a água do banho na busca por sua paixão. Às vezes ignoramos coisas positivas em nossas vidas ao estarmos muito focados no negativo. Se quiser aprender mais sobre o assunto, há um post no blog de Barrie[17] que vai ajudá-lo a reconhecer possíveis paixões que você pode estar ignorando.

Passo 3: Investigue-se

Comece aprendendo mais sobre quem você é, o que o motiva e quais são seus pontos fortes. Veja algumas avaliações online de personalidade, como:

- Teste Myers Briggs.[18]
- Teste de Temperamento Keirsey.[19]

PARTE II ORGANIZANDO OS COMPROMISSOS DE SUA VIDA

- Ou testes de avaliação de pontos fortes como o Strengths Finder 2.0.

Aprenda tudo o que conseguir sobre seu tipo de personalidade. Você descobrirá que essa informação a seu respeito lhe confere um senso de autoconsciência reconfortante e esclarecedor.

Passo 4: Comece a ler

Reserve dez minutos por dia para ler tudo o que conseguir sobre seus interesses ou ideias para paixões em potencial. Veja como outras pessoas transformaram esses interesses e ideias em carreiras. Anote tudo o que parecer interessante ou relevante para você. Considere também fazer um curso online para obter conhecimento aprofundado e entendimento do que está investigando como uma possível paixão.

Passo 5: Limite sua pesquisa

Ao começar a ler e pesquisar, você pode encontrar uma ou mais opções de carreira que lhe salte aos olhos. Aprofunde sua pesquisa nos tópicos para descobrir exatamente que tipo de prática ou formação é necessária, quem já tem sucesso nessa área, que tipo de salário você conseguiria ter e quanto tempo levaria para se tornar proficiente na área.

Comece preenchendo as lacunas dos detalhes necessários para tornar essa possível paixão uma realidade para você e para a estrutura de sua vida.

Passo 6: Encontre um mentor

Encontre uma ou duas pessoas que estão fazendo o que você quer fazer, e que estejam fazendo bem. Aproxime-se delas. Envie-lhes e-mails perguntando se elas podem dar conselhos a você. Elabore uma lista de perguntas que deseja fazer.

Passo 7: Reúna ideias e anote-as

Pense em todos os passos possíveis de ação que você precisará dar para mover a agulha em direção a viver sua paixão (uma vez que você tiver feito sua pesquisa). Elabore uma longa lista de ações, então volte, priorize e ponha a lista em ordem. Divida cada ação em possíveis passos menores.

52

Passo 8: Tome a primeira atitude

Faça uma ação concreta para o pontapé inicial em direção à sua paixão. Talvez seja botar ordem em seu resumo, inscrever-se em um treinamento ou ligar para alguém. Talvez você não se sinta 100% seguro de que o primeiro passo é o passo certo, mas você tem de dar para descobrir. Portanto, marque uma data e dê. Se você ficar preso, volte à estratégia anterior do estabelecimento de objetivos S.M.A.R.T. trimestrais. Recomendamos transformar sua busca por uma carreira significativa em um projeto em que você aja diariamente.

Passo 9: Escolha um test drive

Uma das melhores maneiras de descobrir se uma paixão é *realmente* uma paixão é testá-la. Em vez de assumir um compromisso integral com um novo emprego ou começar um negócio, encontre uma maneira de conseguir experiências interativas durante um voluntariado, um trabalho de meio período ou mesmo sendo a sombra de alguém durante alguns dias. Esse *test drive* lhe dá retornos reais para ajudá-lo a decidir se sinceramente encontrou o que ama.

Passo 10: Considere outras pessoas

Lembre-se de mantê-las perto de você, envolvidas e a seu redor. É provável que você encontre alguma resistência. Pense com antecedência nessa possibilidade e em como vai lidar com ela. Qual é o resultado final para você? E para elas? Mantenha abertas as linhas de comunicação.

Passo 11: Economize dinheiro

Comece poupando dinheiro. Você pode precisar dele ao fazer a transição para algo novo. Pode ser útil para a formação adicional ou treinamento, para iniciar um negócio ou se sustentar financeiramente enquanto deixa seu negócio funcionando. Comece pensando em maneiras como pode fazer entrar dinheiro extra em caso de emergência. Mesmo se você passar de um trabalho em período integral para outro, sempre é bom ter um plano de apoio.

PARTE II ORGANIZANDO OS COMPROMISSOS DE SUA VIDA

Passo 12: Planeje sua renda

Determine a mais baixa renda anual aceitável. Para isso, você precisará saber como gastar dinheiro, onde pode (e tem vontade de) fazer cortes, e durante quanto tempo quer viver nesse nível de renda. Para não se endividar, o número precisa ser realista e sustentar um estilo de vida básico. Uma ótima ferramenta para monitorar gastos e administrar finanças é o aplicativo Mint[20]. Lá você insere informações sobre contas a pagar, dívidas correntes e contas bancárias para obter um quadro geral de sua situação financeira. Use-o para entender quanto dinheiro será necessário por mês.

Passo 13: Lide com seu trabalho atual

Certifique-se de incluir como parte de suas etapas de ação como você vai se mudar do trabalho atual para um novo. Continuará no trabalho antigo quando começar o novo? Como e quando falará sobre isso com seu chefe? Deixe uma mensagem positiva e lide com as coisas de maneira profissional para poder manter esses laços.

Passo 14: Fique motivado com a ação

Ao mudar de algo seguro e estável para o desconhecido, é natural sentir muito medo. Pensar, planejar, preocupar-se e se martirizar só vão até certo ponto, e contribuem para a sua desordem mental. Ação mental diária e focada vai movê-lo para a frente. Se não sabe o que fazer, apenas faça algo. Tome uma pequena atitude em direção a seu sonho. Um dos resultados positivos desse exercício de 14 passos é que você cria um senso de propósito ao tomar controle de sua vida e se move a algo mais significativo. De fato, o esforço de trabalhar em direção à sua paixão às vezes é tão satisfatório quanto o resultado. Greg Johnson, autor do livro *Living Life on Purpose: A Guide to Creating a Life of Success and Significance,* diz: "Foque na jornada, não no destino. A alegria é encontrada não em terminar uma atividade, mas em fazê-la".

Muito de nosso estresse mental e pensamentos negativos vêm da sensação de insegurança e perda de controle de nossas vidas. Quando você começa a agir para encontrar sua paixão, terá cada vez mais clareza mental e paz de espírito.

A esta altura, você aprendeu várias estratégias que pode usar para superar padrões de pensamentos ruins e reduzir o impacto dos compromissos de vida que não importam de verdade. Na próxima seção, falaremos sobre o abalo negativo que *alguns* relacionamentos têm em seu bem-estar mental e o que fazer a respeito deles.

PARTE III
ORGANIZANDO SEUS
RELACIONAMENTOS

O Impacto Negativo
de Relacionamentos Ruins

Seus filhos o deixam louco. Seus pais são muito carentes. Seu chefe é um idiota. Seu cônjuge não o compreende. Seu melhor amigo nunca telefona.

Com que frequência você se sente irritado, frustrado, ou mesmo furioso, com as pessoas em sua vida?

A resposta a essa questão é importante porque problemas de relacionamento são uma causa dominante da infelicidade que as pessoas sentem na vida.

Repetimos conversas desagradáveis em nossas cabeças e ficamos cozinhando por horas uma afronta sentida. Ou nos afastamos de nossos amigos e entes queridos só para nos sentirmos solitários, isolados e não amados.

Criamos falsas narrativas mentais sobre outras pessoas, atribuindo a elas pensamentos e comportamentos que podem ou não ser verdadeiros, mas mesmo assim a sensação é dolorosa e esmagadora.

Agora, é verdade que você não pode coexistir com outros sem desentendimento ocasional. No entanto, se descobrir que a maioria das interações o deixa emocionalmente drenado, então deveria procurar novos meios de melhorar essas relações ou excluir certas pessoas de sua vida.

Imagine se você não tivesse nenhuma ansiedade em relação às pessoas à sua volta. O quanto sua mente seria menos desorganizada? Quanta energia a mais você poderia investir em buscas produtivas e positivas?

Embora as pessoas importantes em nossas vidas possam ser a fonte de angústia mental, nossas relações íntimas continuam sendo um dos componentes fundamentais que, na vida, contribuem para a felicidade duradoura.

Será que ótimos relacionamentos podem levar à felicidade?

PARTE III ORGANIZANDO SEUS RELACIONAMENTOS

Um dos mais longos estudos sobre felicidade já realizados é o Estudo sobre Desenvolvimento Adulto de Harvard[21], anteriormente conhecido como Estudo Grant em Ajustamentos Sociais. Desde 1937, a fim de examinar a questão do que nos torna felizes, pesquisadores em Harvard têm examinado o comportamento de 268 homens que ingressaram na universidade no fim de 1930. Eles os acompanharam nos quesitos guerra, carreira, casamento, divórcio, paternidade, condição de avós e velhice.

Robert Waldinger, o psiquiatra e professor da Escola de Medicina de Harvard que atualmente conduz o estudo, afirma que a pesquisa de longo prazo é indiscutível: "Relações íntimas e conexões sociais mantêm você feliz e saudável. Esse é o resultado final. Pessoas mais preocupadas com conquistas ou menos preocupadas com conexões eram menos felizes. Basicamente, humanos são ligados por conexões pessoais".

Como é que relacionamentos podem contribuir tanto para a nossa felicidade e, ao mesmo tempo, ser uma fonte imensa de fadiga mental? A chave não é apenas ter relacionamentos — é ter relacionamentos de boa qualidade. Seja com um parceiro romântico, amigo, membro da família ou mesmo um sócio, um relacionamento de boa qualidade engloba:

- Priorizar o relacionamento.
- Comunicação aberta.
- Resolução saudável de conflitos.
- Confiança e respeito mútuos.
- Interesses compartilhados.
- Algum grau de intimidade emocional e/ou intelectual.
- Aceitação e perdão.
- Toque físico (para relacionamentos íntimos).

É de nosso maior interesse sermos proativos sobre como escolhemos as pessoas em nossas vidas e como escolhemos interagir com elas. Criar, manter e nutrir boas relações é necessário para nosso bem-estar e paz de espírito.

Em vez de buscar as mudanças nos relacionamentos por meio dos outros, o melhor lugar para começar é dentro de você. Mesmo que os membros de sua família, amigos e parceiros de trabalho precisem melhorar as próprias habilidades de se relacionar, você pode contribuir muito para reduzir estresse em sua vida iniciando mudanças em você. Não se pode mudar os outros, afinal — você só tem poder para controlar como interage com outras pessoas a seu redor e como reage a elas.

Vamos dar uma olhada em quatro maneiras de como você pode melhorar seus relacionamentos, o que pode ter um impacto direto e positivo em sua estrutura mental.

Estratégia de Relacionamento Nº 1: Seja Mais Presente

Um estudo da Universidade da Carolina do Norte[22] sobre "casais relativamente felizes, sem dificuldades" revelou que casais que praticavam atenção plena de maneira ativa perceberam melhoras na felicidade do relacionamento. Eles também desfrutavam de níveis mais saudáveis de "estresse relacional, enfrentamento eficaz de estresse e estresse global". A prática de atenção plena permite estarmos presentes com nossos parceiros, ser menos reativos emocionalmente com eles e superar situações estressantes na relação de maneira mais rápida.

Presença em relacionamentos não se aplica somente a casais românticos. Você pode praticar atenção plena em todas as suas relações.

O que significa ser mais presente nos relacionamentos? Aqui estão algumas estratégias que você pode realizar:

Pratique a escuta empática

Você já observou que algumas pessoas não ouvem com atenção durante uma conversa?

Para muita gente, é difícil prestar atenção porque nossas mentes estão cheias de vários pensamentos. Com frequência, quando alguém está falando, nossa mente está mais focada na minúcia de nossas vidas, preocupações ou no que queremos dizer em seguida.

Escuta empática (ou ativa) é uma intenção de sair de nossa mente distraída e ouvir as palavras deles sem julgamento. Empatia é o toque elegante da escuta empática, já que permite ao falante se sentir seguro, reconhecido e compreendido.

Escuta ativa não é parte de uma conversa no sentido tradicional. Não existe dar e receber, diálogo compartilhado ou competição para falar. Com escuta empática, tudo se resume à outra pessoa e o que elas estão tentando comunicar — com palavras, com palavras não ditas e com as próprias emoções.

PARTE III ORGANIZANDO SEUS RELACIONAMENTOS

Como ouvinte empático, você deve estar disposto a:

- Permitir à outra pessoa dominar a conversa e determinar o tópico abordado.

- Ficar completamente atento ao que a outra pessoa está dizendo.

- Evitar interromper, mesmo tendo algo importante a acrescentar.

- Fazer perguntas abertas, que solicitem mais de quem está falando.

- Evitar chegar a conclusões prematuras ou propor soluções.

- Fazer o falante refletir sobre o que você o ouvir dizer.

Pode parecer que a escuta empática só fornece benefícios para o falante, mas, como ouvinte, você está em estado de atenção focada. Quando você ouve de maneira empática, é impossível ficar preso em ciclos de pensamentos ou distraído por preocupação ou arrependimento.

Você pode começar praticando escuta empática com seu parceiro, familiares e amigos íntimos. Na próxima interação, comprometa-se com dez minutos de escuta ativa em que esteja focado apenas na outra pessoa e no que estão dizendo. Isso vai aproximá-lo de seu ente querido e também dar um tempo nos pensamentos desorganizados.

Falando com atenção plena

Pensamentos negativos podem ter um impacto prejudicial na qualidade de suas relações. Se sua linguagem está repleta de comentários temíveis, autocondenação, reflexões depreciativas sobre outros ou autocomiseração, você não faz nada além de convencer os demais de que é uma pessoa negativa com quem conviver.

Por outro lado, quando foca em fomentar interações positivas, você pode fortalecer as relações que tem. Por exemplo, o Dr. John Gottman descobriu em sua pesquisa[23] que deveria haver **cinco interações positivas entre parceiros a cada cinco negativas para uma relação ser estável e um casamento durar**. As descobertas de Gottman também podem ser aplicadas em outras relações. Conflito e negatividade tendem a afastar pessoas.

Consciência é sempre o primeiro passo rumo à mudança. Recomendamos prestar bastante atenção ao que está dizendo durante a conversa, sobretudo em sua relação amorosa. Ponha um filtro mental entre seus pensamentos e palavras, reconhecendo o poder que elas exercem sobre uma das pessoas mais importantes de sua vida.

Resista à tentação de tão somente reagir às palavras ou atitudes de alguém. Reserve um momento para escolher com cuidado suas palavras. Fale de maneira amável, solidária e respeitosa, e tente usar um tom de voz calmo e não ameaçador, mesmo se a outra pessoa estiver agitada ou nervosa.

Ao falar de modo mais atento, os que estiverem à sua volta com frequência vão responder com delicadeza. Ainda que não, você obtém poder para manter autocontrole e paz interna.

Através da prática de falar com atenção plena, não somente você melhora a qualidade de suas relações como, também, a qualidade de seu mundo interno.

Meditação da bondade amorosa

Uma meditação da bondade amorosa foca em desenvolver sentimentos de cordialidade em relação a outros. Você pode usar a meditação da bondade amorosa especialmente para melhorar suas relações com pessoas específicas em sua vida, a fim de reduzir pensamentos ruins sobre elas.

Esse tipo de meditação cultiva nossa consciência de que os outros são seres humanos merecedores de compaixão e amor — mesmo quando estão sendo difíceis —, e pode diminuir conflitos relacionais e melhorar nosso próprio bem-estar. Há três estudos que atestam essa afirmação.

Primeiro, cientistas da Universidade de Stanford[24] descobriram que meditação focada em bondade amorosa aumenta sentimentos de conexão social nas pessoas.

Além disso, conforme estudo da Universidade de Utah[25], praticar meditação da bondade amorosa "reduziu níveis gerais de hostilidade aparente, insensibilidade, intromissão e escárnio de outros". Essa prática especial de meditação não somente vai melhorar suas relações íntimas como, também, sua relação com você mesmo.

Finalmente, em um estudo histórico,[26] pesquisadores descobriram que praticar sete semanas de meditação da bondade amorosa aumentou sentimentos de amor, alegria, contentamento, gratidão, orgulho, esperança, interesse, diversão e admiração.

Você pode praticar meditação da bondade amorosa em qualquer lugar, mas comece com uma meditação curta de dez minutos em um local silencioso, sem distrações.

PARTE III ORGANIZANDO SEUS RELACIONAMENTOS

Aqui está um procedimento simples para praticar esse hábito:

- Sente-se em uma posição confortável, ou no chão com as pernas cruzadas e as mãos pousadas delicadamente no colo, ou sentado com a coluna reta em uma cadeira e as pernas descruzadas, pés no chão e mãos descansando no colo.

- Feche os olhos e respire profundamente duas ou três vezes, e depois comece a contar cada respiração, indo de um a dez.

- Quando estiver relaxado, traga à mente uma pessoa a quem deseja enviar bondade amorosa e considere suas qualidades positivas — a luz de bondade que você enxerga nelas.

- Após focar em suas qualidades positivas por alguns minutos, diga mentalmente as seguintes afirmações direcionadas a seu ente querido: "Que você possa ser feliz", "Que você possa estar bem", "Que você possa ser amado".

  Não há nada errado em alterar um pouco as palavras para focar nas necessidades do indivíduo. Não há regras rigorosas. Você pode substituir pelo nome da pessoa em vez de dizer "você".

  Você também pode acrescentar pensamentos como:

  > Que você possa ser livre de males e perigos internos e externos. Que possa estar seguro e protegido.
  >
  > Que você possa ser livre de sofrimento mental ou angústia.
  >
  > Que você possa ser livre de dor física e sofrimento.
  >
  > Que você possa ser saudável e forte.
  >
  > Que você possa viver neste mundo facilmente com felicidade, paz e alegria.

Essa prática de meditação não apenas melhora suas relações como, também, aumenta seu bem-estar emocional e paz de espírito. Como adaptar a prática às suas circunstâncias pessoais depende de você em última instância, mas em essência ela continua sendo um processo de transformação profunda em seus esforços rumo à organização mental e paz de espírito.

Acabe com as comparações com outros

> *"Que possamos não reparar nos talentos que
> queríamos ter ou definhar por dádivas que não são nossas, e sim
> fazer o melhor que pudermos com o que temos."*

> – B.J. Richardson

ORGANIZE SUA MENTE

Comparar-nos de maneira desfavorável com outras pessoas é uma das causas principais de turbulência mental e sofrimento emocional.

- "Se pelo menos eu fosse tão atraente como meu amigo."

- "Por que não posso ser tão inteligente como meu irmão?"

- "Eles têm tão mais dinheiro que nós."

- "Ela viaja o tempo todo, e eu nunca vou a lugar nenhum."

Esses pensamentos podem girar sem controle, fazendo com que nos sintamos mal conosco ao ver outras pessoas como a causa de nossa infelicidade. Ao usarmos conquistas, posses ou atributos de outros como nosso ponto de referência, preparamos o terreno para a desintegração de relacionamentos potencialmente gratificantes.

Em seu trabalho como autores e empreendedores, Steve e Barrie viram como é fácil fazer comparações com os que atingiram mais sucesso. "Caí na armadilha de usar meus colegas como ponto de referência", diz Barrie. "Isso enfraquece meu foco no trabalho que estou executando, fazendo com que eu me sinta inadequada e invejosa até recuperar meus passos e perceber que estou em minha própria jornada, diferente da dos outros ao meu redor."

Comparação estimula sentimentos tão negativos que destrói mais que apenas sua paz de espírito — ela prejudica suas relações. Quanto mais rumina seu ponto de referência, pior se sente sobre você e a outra pessoa. Sentimentos de inveja, ciúme, vergonha, culpa, embaraço, autoaversão, rancor e raiva não são qualidades que aprimoram uma relação ou o torna atraente para os outros.

Gretchen Rubin, autora de *The Happiness Project,* best-seller nº 1 no New York Times, diz: "Emoções negativas como solidão, inveja e culpa têm papel importante para uma vida feliz; elas são sinais grandes e persistentes de que algo precisa mudar".

Todos nós nos comparamos de tempos em tempos, e às vezes comparar pode nos motivar a nos aprimorar ou a alcançar algo que observamos em outros. Mas quando a comparação faz acender a luz desses "sinais grandes e persistentes", é hora de tomar uma atitude.

É necessário esforço mental para se afastar da comparação e das emoções que a acompanham. Mas mudar suas reações aos que têm "mais" vai libertá-lo para seguir o próprio rumo e se tornar a melhor pessoa que VOCÊ foi feito para ser.

65

PARTE III ORGANIZANDO SEUS RELACIONAMENTOS

Aqui estão **três práticas simples e curtas** que podem ajudá-lo a acabar com o hábito de se comparar com os outros:

Prática nº 1: Exerça autoaceitação extrema

Nenhuma comparação, inquietação e ruminação vão mudar quem você é, sua aparência, o que conquistou ou o que possui neste momento. A pessoa que você é neste instante é tudo o que tem, pelo menos por hoje.

Em vez de criar resistência a essa pessoa, reverencie-a. Aceite-a e reconheça que você não tem problema algum agora. Simplesmente adotar esse momento de autoaceitação extrema é libertador e empoderador.

Prática nº 2: Mude o que puder

O teólogo americano Reinhold Niebuhr é conhecido pela composição *Oração da Serenidade*, na qual declara:

Deus, dai-me a serenidade

Para aceitar as coisas que não posso mudar;

Coragem para mudar as coisas que posso;

E sabedoria para compreender a diferença.

Abraçar a serenidade, a coragem e a sabedoria pelas quais Niebuhr reza lhe dará ferramentas práticas para atenuar anseios e frustrações de modo realista.

Comparar-se com outros que você admira pode inspirá-lo a mudar para melhor, a avançar em seu plano e melhorar sua vida. Mas, às vezes, não importa o quanto tente, você não conseguirá estar à altura das realizações de uma pessoa em particular. Talvez você jamais se pareça com seu amigo modelo ou nunca seja tão rico como seu primo milionário.

Em vez de desejar cegamente algo que não tem, faça decisões através do filtro de sua sabedoria interna. O que você pode mudar? O que deseja mudar? Volte a seus valores e prioridades de vida para ajudar a definir sua vida de acordo com as próprias regras, em vez de tentar imitar outro que talvez tenha valores e prioridades diferentes.

De vez em quando, talvez você ainda deseje algo que não pode ter, mas faça o melhor que conseguir com o que tem. Foque em seus pontos fortes e continue a praticar autoaceitação.

Prática nº 3: Expresse gratidão constantemente

Comparações nos deixam cegos para o que já temos. Ficamos tão focados no que o outro tem e em como não estamos à altura, que nos descuidamos de reconhecer todas as bênçãos a nosso redor.

É uma questão de escolher ver o copo meio cheio em vez de meio vazio — e agradecer pela água dentro do copo.

Ao acordar de manhã, antes de sair da cama, faça uma lista mental de tudo de bom em sua vida e foque em cada bênção por um minuto ou dois. Faça isso também antes de ir dormir.

Você pode reforçar sentimentos de gratidão escrevendo-os em um diário de gratidão. No fim do dia, reveja mentalmente tudo de positivo que aconteceu e escreva. Reserve um momento para considerar o que seria sua vida sem as pessoas que ama, sua casa, sua saúde etc. Ao pensar em suas bênçãos sendo levadas para longe de você, fica muito claro o quanto você é abençoado.

Estratégia de Relacionamento Nº 2: Libertando-se do Passado

Falamos anteriormente no livro sobre ruminar o passado e como isso pode causar sensações de sobrecarga mental. Quando você pensa no passado, pode observar que muitos de seus pensamentos se relacionam a encontros com as pessoas atuais de sua vida.

Você repete conversas que foram desagradáveis ou dolorosas. Você reprisa um relacionamento rompido ou um amor perdido. Talvez reflita com saudade e tristeza sobre filhos que cresceram e saíram de casa, amigos que se afastaram ou irmãos que pareçam desconectados.

Talvez você tenha enfrentado uma dor em um relacionamento tão profunda e não resolvida a ponto de nunca ter se curado dela de verdade, e ela continua a perturbar sua vida e sabotar seus pensamentos. Ficar às voltas com essas memórias pode disparar raiva mal resolvida, vergonha, culpa, medo e tristeza.

Por relacionamentos serem tão fundamentais em nossas vidas, não surpreende que pessoas do passado continuem a nos causar dor por semanas, meses ou até anos depois que um encontro ou relação acabou. Você repete esses "filmes mentais" com tanta frequência que começa a se identificar com eles. Arrastar o passado desse modo é um fardo pesado que drena sua energia e paz interna.

Às vezes, repetimos situações antigas em uma tentativa inconsciente de resolvê-las,, mas ruminar só nos mantém presos no passado e infelizes no presente. Como podemos nos libertar de pensamentos sobre o passado, de modo que eles não continuem a nos aprisionar ou nos amarrar a pessoas que não mais deveriam ser parte de nossas vidas?

Eckhart Tolle, autor de *O Poder do Agora,* diz: "Podemos aprender a romper o hábito de acumular e perpetuar velhas emoções batendo nossas asas, metaforicamente falando, e evitando nos agarrar mentalmente ao passado, não importa se algo aconteceu ontem ou 30 anos atrás. Podemos aprender a não manter situações ou

PARTE III ORGANIZANDO SEUS RELACIONAMENTOS

eventos em nossas mentes, e sim a voltar nossa atenção constantemente ao momento presente, intacto e atemporal, em vez de sermos pegos fazendo filmes mentais".

Mais fácil falar que fazer, certo?

É difícil simplesmente soltar memórias dolorosas e empurrar esses pensamentos para fora de nossas mentes.

Difícil... *mas não impossível.*

E certamente vale a pena o esforço, se você quiser se libertar e desfrutar de relações positivas e de amor em sua vida atual.

Se deseja estar presente com sua família e amigos hoje, você não pode continuar preso em suas lembranças sobre relações passadas e feridas antigas.

Aqui estão algumas maneiras para você limpar a desordem de pensamentos negativos sobre o passado:

Resolva o que puder

Se há um problema não solucionado ou ferida entre você e outra pessoa, **tome uma atitude para resolver a situação.** Em vez de ficar cismando sobre o assunto antigo, tome a iniciativa de se comunicar com a outra pessoa para falar a respeito, mesmo que sinta que você foi "injustiçado". É difícil se aproximar de alguém que o feriu, mas o desconforto de fazer isso é muito menor que o lento tormento de dar continuidade à dor do passado.

Sentimentos de raiva ou mágoa podem tornar difícil manter um diálogo aberto, mas aprenda mais sobre comunicação saudável para ter uma conversa produtiva com a outra pessoa.

Parte da solução pode incluir compartilhar seus sentimentos e dor, ouvindo a perspectiva da outra pessoa, oferecendo ou pedindo perdão e abordando o futuro da relação. Quebre o "feitiço" de sua história interna sobre o passado falando abertamente sobre ela.

Ter uma conversa produtiva com alguém de seu passado nem sempre é possível, mas, quando for, pode ser a melhor maneira de se libertar da sensação de prisão por conta de suas memórias e mágoas.

Desafie sua história

Quando você repete mentalmente uma situação várias e várias vezes, sua perspectiva se torna a verdade máxima para você. Parece impossível ver a situação de qualquer outro ângulo.

Talvez você acredite que suas memórias e a interpretação da relação estejam corretas, mas a outra pessoa pode ter uma perspectiva totalmente diferente.

Desafie sua própria interpretação colocando-se na pele da outra pessoa. Você pode fazer isso respondendo a estas questões:

- Como veriam o que aconteceu entre vocês?
- O que você poderia ter dito ou feito que elas possam ter interpretado mal?
- É possível que suas memórias estejam incorretas?
- A outra pessoa tem um ponto de vista válido?
- É possível que as coisas não tenham ocorrido exatamente como você acredita?

Ter empatia com a outra pessoa tira parte do desgosto ou ressentimento associado à memória. Ao desafiar as próprias crenças e memórias, você se permite ver a situação de um ponto de vista menos negativo.

Ofereça perdão

A pessoa de seu passado pode nunca se desculpar, mas ofereça perdão de qualquer modo. Você não precisa perdoá-la pessoalmente, mas perdoe-a dentro de seu coração e de sua mente.

Agarrar-se à irritação e à dor só prolonga o sofrimento e o estresse mentais. Você perdoa para se libertar desse sofrimento, a fim de seguir adiante e viver no presente com uma mente tranquila.

O autor de *best-sellers* sobre autoaprimoramento, Dr. Wayne Dyer, diz: "Perdoar os outros é essencial para o crescimento espiritual. Sua experiência de alguém que o feriu, mesmo dolorosa, é agora nada mais que um pensamento ou sentimento que você carrega. Esses pensamentos de ressentimento, raiva e rancor representam energias retidas e debilitantes que vão tirar sua força se você continuar permitindo que esses pensamentos ocupem espaço em sua cabeça. Se conseguisse libertá-los, você conheceria mais paz".

PARTE III ORGANIZANDO SEUS RELACIONAMENTOS

Perdoar alguém não significa necessariamente que você se reconcilie com ele/a. Significa que você deixa ressentimento e raiva irem embora, para que isso não o envenene no futuro. Pode ser penoso perdoar, especialmente quando quem o ofendeu não aceitou a responsabilidade pelo próprio comportamento. Mas você pode começar reconhecendo que essas pessoas estão fazendo o melhor que sabem com as habilidades que possuem. Quando você se pegar ruminando ofensas antigas, afaste seus pensamentos delas e de você. Reconheça seus sentimentos sem culpar a outra pessoa por eles. Pergunte-se: "O que aprendi com isso? Como posso usar isso para melhorar a mim mesmo?".

Como diz o Dr. Dyer: "Sua vida é como uma peça com vários atos. Alguns dos personagens que entram têm papéis curtos para desempenhar; outros, muito maiores. Alguns são vilões e outros são mocinhos. Mas todos eles são necessários, do contrário não estariam na peça. Aceite todos eles e parta para o próximo ato".

Oferecer perdão talvez exija se perdoar por algo que disse ou fez em um relacionamento. Reflita honestamente sobre suas atitudes e sobre como elas podem ter ferido ou ofendido a outra pessoa. Você pode encontrar muitos motivos para ter agido assim, e talvez tenha algumas razões legítimas para suas atitudes. Mas se houve algum comportamento errado de sua parte você tem de aceitar e se perdoar por isso.

Torna-se mais fácil desculpar a si mesmo quando você altera sua perspectiva sobre os erros antigos. Em vez de se martirizar por erros em relações posteriores, tente honrar o passado e enxergar suas atitudes como uma bênção. Elas foram parte de você na época, e você teve de aprender com elas. Agora pode seguir em frente e se perdoar, sabendo quem deseja ser e como se comportar.

Estratégia de Relacionamento Nº 3: Atenção Plena Com Seu Parceiro

As duas estratégias anteriores que abordamos se aplicam em qualquer relacionamento em sua vida. Mas sua relação amorosa íntima se distingue como uma que merece atenção especial.

Com seu cônjuge ou parceiro romântico, você tem a oportunidade de um enorme crescimento emocional e pessoal, sobretudo se enxerga seu companheiro como alguém que está em sua vida para lhe ensinar algo. É por meio dessa relação que você pode aprender a ser mais presente e solidário.

Ironicamente, nossas relações amorosas tendem a nos presentear com os maiores desafios da vida, causando a maior "desorganização mental" e angústia. Praticar atenção plena em sua relação amorosa lhe dá uma ferramenta para fortalecer sua conexão íntima ao reduzir estresse e ansiedade em sua vida.

O especialista em atenção plena e Professor Emérito de Medicina Jon Kabat-Zinn descreve atenção plena como prestar atenção intencional ao momento presente, enquanto deixa ir embora o julgamento.

Essa prática poderá ser impossível no calor de um argumento quando você só quer atacar seu parceiro. Mas, com paciência, a atenção plena aumenta a consciência do que estamos vivenciando com nossos parceiros, e nos confere o espaço para determinar como queremos agir (e reagir) com eles.

Quando está apto a contornar reações emocionais com seu cônjuge ou parceiro, você se sente mais centrado, calmo e capaz de resolver assuntos de maneira amorosa. Essa habilidade pode, sozinha, salvá-lo de dias, até mesmo anos, de angústia mental e sentimental que esgotam sua energia emocional.

"Atenção plena não é negar ou enterrar nossas emoções", diz a psicóloga e autora Dra. Lisa Firestone em um artigo para a *Psychology Today*. "É tão somente cultivar uma relação diferente com os nossos sentimentos e experiências, nos quais estamos

PARTE III ORGANIZANDO SEUS RELACIONAMENTOS

no assento do motorista. Podemos ver nossos sentimentos e pensamentos como um trem rápido rugindo pela estação, mas só nós escolhemos se queremos embarcar."

Escolher não embarcar é o começo de uma relação consciente, que promove cura e intimidade em vez de discórdia e cisão. Aqui estão algumas atitudes que você pode tomar para se tornar mais presente em seu casamento ou relação amorosa:

Estabeleça o compromisso

Com a consciência do que a atenção plena vai acrescentar à qualidade de sua conexão com o parceiro, comprometa-se a praticar esse hábito diariamente.

Se você passou anos em uma relação inconsciente em que você e seu parceiro são reativos, vai levar algum tempo para se reeducar e interagir de maneira diferente. Mas se vocês estão estimulados a crescer no relacionamento e reduzir o estresse em suas vidas, então podem mudar.

Essa é a relação mais importante de sua vida, e impacta sua saúde mental e sua visão geral sobre tudo. Comprometa-se com tal prática em sua relação e verá uma melhora em todas as áreas de sua vida.

Ponha um bilhete em um local de modo que seja a primeira coisa que você veja de manhã, para lembrá-lo de estar presente com seu cônjuge quando vocês interagem. Você pode precisar de lembretes em vários lugares na casa ao começar essa prática.

Comunique seu compromisso

Sua decisão de ter mais atenção plena com seu parceiro não se embasa no compromisso mútuo dele — mas isso com certeza ajuda.

Sente-se com seu parceiro quando puderem conversar sem interrupção e deixe-o/a saber de seu novo plano. Você poderá dizer algo como: "Decidi que quero ser mais presente e solidário em minha relação com você. Isso vai nos tornar mais próximos e nos ajudar a resolver nossas diferenças sem tanta raiva ou dor. Eu me comprometi com isso e gostaria que você também o fizesse".

Seu companheiro pode se perguntar o que isso significa exatamente, o que leva às próximas ações deste capítulo que você pode praticar.

ORGANIZE SUA MENTE

Esteja emocionalmente presente

Estar emocionalmente presente significa estar totalmente sintonizado com seu parceiro na conversa. Caso ele esteja aflito, isso significa ficar emocionalmente aberto à aflição e mostrar empatia.

Também significa prestar atenção à linguagem corporal do cônjuge e refleti-la de volta, bem como usar contato visual, tocar com gentileza e acenar com a cabeça para mostrar que o está escutando.

Em geral, não significa oferecer sugestões ou modos de "consertar" uma situação, a menos que seu parceiro peça. De fato, bloqueamos nossa habilidade inata para a presença emocional quando tentamos fazer "mais" pelo parceiro. Presença sintonizada permite a seu companheiro se sentir menos a sós com seus sentimentos.

Esse tipo de ressonância emocional com seu cônjuge leva a mais intimidade, confiança e segurança na relação.

Escute sem ficar na defensiva

Quando você e seu parceiro têm um conflito ou conversa emocionalmente carregada, presença significa que você está ouvindo sem preparar sua resposta ou defesa.

Preste atenção às próprias emoções reativas, nomeie-as e reconheça que elas foram acionadas, mas não aja com base nelas. Tente voltar sua atenção às palavras do outro, e reconheça que os sentimentos dele/a são tão importantes quanto os seus.

Retome as palavras de seu parceiro

A boa vontade de retomar as palavras que ouviu do parceiro mostra que você está ouvindo de modo ativo. Também reforça para seu cônjuge que você se importa o bastante para entender por inteiro o que está sendo dito.

Retomar não é tão somente repetir como papagaio o que seu parceiro diz. É uma maneira de confirmar que o que você ouviu é realmente o que seu parceiro quis dizer. Isso abre o diálogo para esclarecimentos e convida a uma conversa sobre solução mútua e compreensão.

Essa é uma técnica de atenção plena extremamente útil durante momentos de conflito, sentimentos feridos ou mal-entendidos.

PARTE III ORGANIZANDO SEUS RELACIONAMENTOS

Comunique-se de maneira autêntica

Estar presente com seu parceiro é uma habilidade de relacionamentos maduros. Significa não responder ou reagir de modo infantil, usando palavras passivo/agressivas ou comportamentos como revirar os olhos, terapia do silêncio ou birra. Fazer escândalo ou ter acessos de raiva sempre impedem uma comunicação aberta e autêntica.

Quando você tem um problema com seu companheiro, em vez de dar-lhe um soco ou fazer um comentário depreciativo, volte à prática de atenção plena. Preste atenção às suas emoções e espere até ficar calmo e menos na defensiva antes de iniciar a conversa.

Compartilhe o problema sem culpa ou crítica. Relate sua percepção do problema, quais sentimentos ele trouxe e o que precisa que seu parceiro faça para restaurar a conexão. Ouça a resposta e a perspectiva de seu parceiro sem ficar na defensiva.

Procure por lições dentro do conflito

Mencionamos anteriormente que sua relação amorosa é o laboratório para o crescimento pessoal se você estiver atento. Conflito é desconfortável e desagradável, mas proporciona a oportunidade perfeita para o aprendizado.

Em vez de ficar cozinhando a raiva em banho-maria depois de um conflito, faça estas perguntas a si mesmo:

- É possível que eu não esteja totalmente certo?
- A perspectiva de meu parceiro é válida de alguma forma?
- Estou sendo a pessoa que quero ser com meu parceiro?
- Que aprendizado tirei desse conflito?
- Qual é o problema mais grave que ativa minhas reações?
- Como meus sentimentos feridos estão interferindo em meu crescimento?
- De que modo quero mudar como resultado dessa interação?

Suas respostas a essas perguntas promoverão cura e autoconhecimento, e permitirão que você se livre da crítica interna que o deixa agitado e com raiva.

76

ORGANIZE SUA MENTE

Passe um bom momento com seu parceiro, sem distrações

Uma das medidas mais úteis que você pode ter para a saúde de seu relacionamento é passar um bom momento com seu parceiro. Esse é o momento em que ambos estão relaxados e envolvidos sem as pressões do trabalho, dos filhos ou de conflitos.

Casais ocupados com frequência têm de programar esse momento, porque a vida é por demais frenética e exigente. Se esse é seu caso, faça questão de marcar um encontro regular, ou mesmo 30 minutos diários, de tranquilidade com seu cônjuge, de modo que possam conversar e se reconectar.

Quanto mais intimidade emocional você compartilha com seu parceiro, mais você protege seu relacionamento dos conflitos que geram sofrimento para ambos. Fazer esse esforço é um investimento para sua paz de espírito e clareza mental.

Estratégia de Relacionamento Nº 4: Deixe Algumas Pessoas Irem Embora

Às vezes, organizar os relacionamentos significa somente isto — deixar ir embora algumas pessoas que o fazem sofrer. Algumas vezes, o único plano de ação é dizer adeus aos que continuam a minar sua saúde mental e emocional.

Deixar um relacionamento ir embora é doloroso, mesmo que ele o esteja esgotando, travando, tornando-o cego para o seu verdadeiro eu, ou, pior ainda, seja tóxico ou abusivo.

Investimos muito em nossas amizades, casamento, colegas de trabalho e familiares.

Muitas vezes, é uma dessas relações próximas — com uma ou mais pessoas com quem ficamos envolvidos de modo íntimo e profundo por muitos anos — que nos causa a maioria das dores e agitações.

Em algum momento de um desses relacionamentos você chegará a um ponto em que a dor e a dificuldade superam as coisas positivas — em que as consequências de deixar ir parecem menos assustadoras que a infelicidade de permanecer.

Por exemplo, uma das ações mais difíceis que Steve já teve de fazer foi cortar toda e qualquer comunicação com uma ex-namorada. Após um relacionamento extremamente frustrante que durou um ano, ele sentiu que não havia nenhum modo de tê-la em sua vida — mesmo como amiga. A interação era muito tóxica para ambos encontrarem qualquer tipo de felicidade um no outro.

Então, ele tomou a decisão de "forçar" uma separação permanente indo para a Europa e passando oito meses viajando sem nenhum acesso a um celular. Mesmo sendo desafiador, Steve sabia que a única maneira de seguir em frente era criar uma situação do tipo "de uma hora para a outra", na qual seria quase impossível para os dois terem qualquer tipo de conversa.

PARTE III ORGANIZANDO SEUS RELACIONAMENTOS

Agora, você não precisa deixar o país para fugir de um relacionamento ruim, mas talvez queira considerar adotar um método proativo para eliminar certas pessoas de sua vida — e ter certeza de que vai persistir nesse plano.

Vamos admitir que não é fácil tomar a decisão final. Mas há alguns temas de discórdia universais em qualquer tipo de relacionamento que mostram que é hora de dizer adeus. Eles incluem:

- Abuso verbal, emocional ou físico.
- Desonestidade permanente, deslealdade ou mentiras.
- Valores essenciais divergentes ou integridade questionável.
- Toxicidade generalizada, negatividade e incompatibilidade.
- Irresponsabilidade permanente e prejudicial.
- Imaturidade contínua e manipulação emocional.
- Problemas de saúde mental não resolvidos ou não tratados.
- Vícios (drogas, álcool, sexo, jogatina, pornografia).
- Recusa em se comunicar, resolver problemas ou investir no relacionamento.

Além dessas situações mais sérias, às vezes um relacionamento simplesmente chega ao fim. Você pode descobrir, por motivos que não entende completamente, que a outra pessoa mais empobrece do que enriquece sua vida. Você pode chegar a um ponto em que simplesmente não deseja lidar com a desorganização emocional e o caos que outra pessoa cria em sua vida.

Se a pessoa que está lhe causando dor é seu cônjuge, um dos pais ou familiar ou um filho adulto, você não pode apenas abandonar a relação sem sérias repercussões. Mas você pode administrar melhor esses relacionamentos e proteger sua saúde mental criando limites sólidos e comunicando seus limites à pessoa envolvida. Você pode aprender mais sobre criar limites no blog[27] *Live Bold and Bloom*, de Barrie.

Se você tem pais difíceis e membros da família que o estão angustiando, ou seu casamento é infeliz e você está pensando em divórcio, talvez queira checar os artigos e posts do blog de Barrie.[28]

Naturalmente, administrar ou deixar acabar qualquer relação não é uma proposta rápida. Pode levar meses ou anos e muita dor no coração para se afastar de alguém que foi parte de sua vida de um jeito significativo. Mas estaríamos sendo negligentes se não incluíssemos esse ponto como parte de suas opções de organização mental.

Aqui estão algumas reflexões sobre como se desligar de um relacionamento enfraquecedor ou doloroso:

Considere o lado positivo de viver sem essa pessoa

Deixar um relacionamento pode dar a entender que você está desistindo ou sendo rude. Você pode se sentir culpado caso se afaste dessa pessoa. Porém, se o relacionamento está lhe causando desconforto constante, você não está *se* tratando com respeito.

Se está tendo problemas para decidir se termina ou não (ou controla) a relação, pense em como seria sua vida se você não tivesse essa pessoa por perto. Você se sentiria aliviado? Livre? Menos ansioso ou estressado?

Pergunte-se como sua vida mudaria para melhor se não fosse necessário lidar com os problemas e preocupações relacionados a suas interações com essa pessoa. Sua avaliação poderá ficar obscurecida por seus sentimentos de culpa ou obrigação, mas tente pesar honestamente o lado positivo de se libertar.

Considere as consequências de dizer adeus

Terminar um relacionamento raramente ocorre sem consequências. Sua decisão é passível de impactar outras pessoas próximas, forçando-as a escolher algum lado ou, pelo menos, algum tipo de posição — que poderá não ser a seu favor. Algumas pessoas poderão se separar de você em seguida.

A pessoa a quem você está dizendo adeus pode tentar sabotá-lo, falar pelas suas costas ou feri-lo de algum modo. A reação delas pode ser mais dramática ou prejudicial que o previsto, deixando as coisas piores antes que melhorem. Você poderá descobrir que a perda de seu relacionamento é mais dolorosa do que pensava que seria, e você terá incertezas.

É útil tentar prever todas as possíveis repercussões antes de terminar o relacionamento. Quais sentimentos cada uma dessas hipóteses lhe traz? Você é capaz de enfrentar a consequência ou acha que isso é mais prejudicial que manter uma relação que o enfraquece?

PARTE III ORGANIZANDO SEUS RELACIONAMENTOS

Defina o real significado de "adeus"

Desapegar poderá significar um término permanente em um relacionamento, no qual não há nenhuma comunicação ou interação. Mas isso não é possível ou razoável para todas as relações. Adeus poderá também significar se libertar do antigo modo de se relacionar com essa pessoa e implementar um novo, de maior autocuidado.

Relacionamentos que você tem com familiares, filhos adultos ou um ex-cônjuge nem sempre podem ser cortados totalmente. Contudo, você pode criar limites no tempo que passa com essas pessoas e como se comunica com elas, a fim de proteger sua saúde mental e emocional.

Decida o que significa, exatamente, "adeus" para você. Quanto tempo está querendo passar com essa(s) pessoa(s)? Como quer se comunicar com ela(s), e com que frequência? O que você não vai mais tolerar ao interagir com ela(s)? Ser proativo nessas decisões faz com que você se sinta mais no controle e mais calmo a respeito de como continuar.

Comunique suas intenções sem culpa

Simplesmente largar de uma hora para outra um amigo ou familiar, sem nenhuma explicação ou conversa, pode ser a saída mais fácil — mas não é a mais gentil. Sim, essa pessoa pode estar sugando cada última gota de energia e alegria de você, mas ainda merece uma explicação ou, pelo menos, um alerta.

Você não precisa entrar em um conflito longo e extenso para dizer adeus ou cortar interações. Também não é necessário assumir culpa ou difamar. Tente fixar-se no principal e diga o que *você* gostaria de ouvir se estivesse na pele do outro.

Falar pessoalmente, em geral, é a melhor maneira para ter essa conversa, mas você conhece melhor a pessoa. Se estiver prevendo muito drama ou raiva, aí talvez uma carta ou ligação telefônica seja melhor que encontrar pessoalmente. De qualquer modo, tente encurtá-la e foque em *seus próprios sentimentos* em vez de *nas falhas deles*.

Você poderá dizer algo como: "Preciso de um tempo em nossa amizade porque sinto que estamos sem sintonia, e isso está me angustiando. Eu gosto de você, mas preciso me distanciar. Eu não queria me afastar sem dizer alguma coisa primeiro".

ORGANIZE SUA MENTE

Elabore um plano para uma reação negativa

Não importa a delicadeza com que você termine um relacionamento, a outra pessoa (e talvez outras a que ambos estejam ligados) vai reagir mal. É difícil prever como alguém poderá reagir quando ferido ou com raiva.

Tente se preparar com antecedência para essa possível consequência. Isso pode significar pedir a um acompanhante que esteja com você ao comunicar suas intenções, e também depois da conversa difícil.

Você poderá precisar conversar pessoalmente sobre seu plano de terminar a relação com amigos e familiares que conheçam a outra pessoa. Tente explicar que você precisa terminar o relacionamento sem falar mal da outra pessoa, se possível.

Dependendo da intensidade e da longevidade da relação que estiver acabando, você poderá necessitar de ajuda terapêutica para conseguir navegar pelos próprios sentimentos de perda e dor.

Aceite que isso pode ser um processo

Para alguns relacionamentos, acabar é retroceder lentamente no tempo. Ou poderá ser um término seguido por um período de reconciliação somente para resultar em um fim mais permanente.

Às vezes, culpa, confusão ou solidão podem fazê-lo pensar duas vezes em sua decisão de se libertar. É necessário voltar ao relacionamento para consolidar sua determinação de finalmente terminar.

Reconheça que desistir de alguém que uma vez foi próximo a você raramente é fácil ou livre de dor. Permita-se fazer isso lentamente se for a melhor maneira para você.

Permita-se ficar triste

O fim de um relacionamento que um dia foi próximo ou que você esperou que ia funcionar é doloroso. Sim, você pode se sentir aliviado por não ter mais de lidar com os aspectos difíceis da relação. Você pode ter mais energia emocional e menos frustrações diárias. No entanto, a tristeza tem um modo de nos apanhar quando menos esperamos. Qualquer processo de fim pode criar um bolsão de tristeza que precisa de tempo para se curar.

PARTE III ORGANIZANDO SEUS RELACIONAMENTOS

Não tente sair da tristeza ou repensar sua decisão porque o luto é confuso. Se você o enxerga como parte normal do processo de término, ele vai passar por você com maior facilidade, permitindo-lhe retomar a paz de espírito e alegria que estavam enfraquecidas durante a relação.

Como pode ver, eliminar pessoas de sua vida talvez seja desafiador, mas também gratificante porque o deixa livre para passar o tempo com as pessoas que realmente importam.

Na próxima seção, examinaremos a quarta área que você pode organizar para reduzir estresse, ansiedade e a sensação de sobrecarga em sua vida.

Vamos a ela...

PARTE IV
ORGANIZANDO SEU ENTORNO

O Valor de Organizar
Seu Entorno

*"Se as pessoas se concentrassem nas coisas realmente importantes
da vida, haveria escassez de varas de pescar."*

– Doug Larson

Onde você escolhe passar o tempo todos os dias determina a qualidade de sua vida. Sabemos que essa é uma afirmação óbvia, mas muitas pessoas fracassam em analisar o que estão fazendo momento a momento no dia a dia.

De fato, tendemos a permitir que o acaso, o tédio ou outras pessoas determinem como passamos a maior parte de nosso tempo. Reagimos ao que está à nossa frente em vez de decidirmos com atenção plena como queremos criar nossas vidas.

Falamos anteriormente sobre definir nossos valores, prioridades de vida, objetivos e paixão de vida. Essas atitudes o ajudam a direcionar as atividades diárias de sua vida. Mas você não pode focar nessas atitudes gerais o dia todo, todos os dias. Isso porque a maior parte de seu tempo está com frequência repleta de tarefas sem sentido, que contribuem para sentimentos de sobrecarga, vazio e desorganização mental.

Ficamos presos a coisas, rotinas e contextos. Permitimos que nossas casas se tornem depósitos de cada capricho ao acumularmos mais e mais tralhas ao longo dos anos. Somos obcecados por tecnologia e passamos horas nas mídias sociais, tirando e compartilhando "selfies", e documentando as minúcias de nossas vidas.

Então, para alcançar o benefício pleno da organização mental em sua vida, você precisa analisar os aspectos mais banais mas potencialmente empobrecedores do cotidiano. Essas atividades sem sentido são os pequenos buracos na represa que fazem afundar sua energia e contentamento. Com poucas mudanças, você pode tapar os buracos e se reabastecer.

Nesta seção, vamos lidar com o último passo do processo — como organizar seu entorno a fim de liberar espaço mental para os objetivos e pessoas importantes de sua vida.

Simplifique
Sua Casa

*"Não tenha nada em sua casa que não considere útil
ou que não acredite que seja bonito."*
– William Morris

Sua casa deveria ser um refúgio — um lugar em que se sinta em paz, feliz e calmo. Mas você consegue se sentir assim quando sua casa está cheia de tralhas?

Pesquisadores do Instituto de Neurociência da Universidade de Princeton divulgaram os resultados de um estudo que conduziram no *The Journal os Neuroscience*, relativos diretamente a moradias limpas e organizadas. De acordo com seu relatório "Interações de Mecanismos Descendentes e Ascendentes no Córtex Visual Humano":

Múltiplos estímulos presentes no campo visual ao mesmo tempo competem por representação neural ao suprimir mutuamente sua atividade lembrada por meio do córtex visual, fornecendo um correlato neural para a limitada capacidade de processamento do sistema visual.

Em outras palavras, quando o seu entorno está desorganizado, o caos visual restringe sua habilidade de foco. A desorganização também limita sua capacidade cerebral de processar informações. Desordem o distrai e o deixa incapaz de processar informação, e você não estaria assim em um ambiente limpo, organizado e tranquilo.

Por um instante, visualize um cômodo com o mínimo de mobília, sem desordem e bibelôs esquisitos. O cômodo está arrumado, organizado e minimalista.

Veja-se sentado nesse cômodo e observe como se sente.

Agora, imagine um cômodo cheio de móveis, revistas e livros empilhados sobre as mesas e cada superfície bagunçada e repleta de tralhas.

Como se sente sentado nesse cômodo?

A desordem rouba seu foco, fazendo que você se sinta sobrecarregado, distraído e agitado. Seu cérebro está tão ocupado tentando processar todos os estímulos visuais, que você não consegue aproveitar totalmente o momento.

PARTE IV ORGANIZANDO SEU ENTORNO

Agora, talvez muitos objetos em sua casa tenham valor sentimental. Mas convidamos você a abraçar uma nova mentalidade sobre desordem física e como ela impacta sua saúde mental. Organizar sua casa pode ser um processo que exija diversas repetições antes que você se sinta confortável para dar adeus a coisas. Porém, com o mero início do processo, você ficará surpreso com o impacto positivo que ele tem em sua energia e estado mental.

Steve e Barrie escreveram sobre como organizar sua casa no livro *10-Minute Declutter: The Stress Free Habit for Simplifying Your Home,* no qual você encontrará ideias detalhadas para limpar e organizar cada cômodo de sua moradia.

Você pode organizar sua casa em menos tempo que imagina — e sem se sentir totalmente sobrecarregado — ao encará-la em pequenos blocos de tempo de cada vez, todos os dias. Reserve apenas dez minutos por dia para essa reorganização e dentro de poucas semanas seu lar estará em ordem.

Aqui está um processo de dez passos, conforme aquele livro, para ajudá-lo a começar:

1. Estabeleça uma área disponível

Você precisará de um lugar para colocar temporariamente todos os itens que deseja guardar em outro lugar ou doar. Encontre um cômodo ou espaço em sua casa onde possa pôr essas coisas até estar preparado para se ocupar com elas. Você pode decidir criar uma área disponível em cada cômodo em que estiver trabalhando em vez de fazer isso na área principal. Isso também funciona bem, contanto que você não se importe em ter uma pilha de tralhas em um canto do cômodo.

2. Consiga caixas para a área disponível

Você vai precisar de caixas de tamanhos variados para colocar itens para doar, dar a outras pessoas, vender ou armazenar. Use caixas baratas de papelão para fins de depósito. Depois, você pode adquirir recipientes de armazenagem mais duráveis para todos os itens que quiser guardar.

3. Tenha em mãos temporizador, notebook e caneta

Já que estará trabalhando em incrementos de dez minutos, ajuste um temporizador para saber quando parar. Você ficará surpreso com quanta coisa consegue realizar em dez minutos. Mantenha, também, um notebook e uma caneta com você enquanto limpa e organiza.

Você vai querer anotar os materiais para organização que necessita adquirir ou ideias que tiver de itens para guardar, doar ou vender.

4. Estabeleça um horário

Estabelecer um horário de dez minutos para a organização significa que você está acrescentando um novo hábito ao seu dia, que pode ser difícil. Criar hábitos requer algumas habilidades especiais para se assegurar de que não vai desistir. Escolha a hora do dia em que deseja cumprir seu hábito de organização. Certifique-se de que ele venha logo em seguida de um hábito previamente estabelecido, como tomar café de manhã ou escovar os dentes. Esse gatilho vai incitá-lo a cumprir seu hábito de organização. Então, dê a si mesmo uma recompensa depois de ter cumprido seu novo hábito.

Para mais sobre o assunto, visite o site http://www.developgoodhabits.com/how-to-form-a-habit-in-8-easy-steps/ [conteúdo em inglês]. Trata-se de um artigo de Steve sobre como construir um hábito em oito passos.

5. Comece onde passa a maior parte de seu tempo

Se está confuso sobre por onde iniciar seu projeto de limpeza e organização, sugerimos que comece pelo local em que passa a maior parte do tempo. Para a maioria das pessoas, seriam a cozinha, os quartos e a sala de estar. Quando você finaliza um cômodo que usa muito, terá uma enorme sensação de satisfação, bem como um aumento de energia emocional e paz de espírito.

6. Determine seu sistema

Para manter seu trabalho de dez minutos por dia, considere se deslocar de cima para baixo e da esquerda para a direita nos espaços. Por exemplo, na cozinha, comece pelas prateleiras superiores de armários e organize/limpe primeiro as prateleiras do lado esquerdo e, depois, o direito.

Tire tudo das prateleiras do lado esquerdo, depois separe rapidamente aquilo que vai colocar de volta nas prateleiras. Limpe-as e, depois, recoloque os itens que deseja manter. Ponha os itens que sobraram nas caixas apropriadas para dar, vender, doar ou guardar em outro lugar. Faça o mesmo com gavetas — esvazie tudo, arrume o que vai ficar, limpe a gaveta, recoloque o que vai ficar e ponha o restante nas caixas apropriadas.

7. Evite indecisão

Um motivo pelo qual pessoas sofrem para organizar é porque não conseguem decidir se vão ou não abrir mão de alguma coisa. Há milhões de motivos para essa confusão, mas você precisa lidar com a indecisão de momento para que a organização tenha sucesso.

É por isso que sugerimos colocar de volta nos espaços que você organizou somente o que vai ficar. Livre-se de tudo o que você sabe, com certeza, que não quer ou não precisa. Qualquer coisa que sugira um leve questionamento ou que raramente use, ponha em uma caixa e cuide dela depois. Etiquete a caixa, lacre e coloque-a em um depósito.

8. Trabalhe rápido

Você já observou como é fácil se distrair quando está limpando e organizando? Você pega alguma coisa, olha para ela, pensa a respeito, pergunta-se o que fazer com ela. Com o sistema de dez minutos, você criou um senso de urgência para si mesmo.

Você está tentando cumprir uma tarefa em um período curto de tempo. Por isso é tão importante recolocar apenas os itens dos quais sabe que vai precisar. Você pode cuidar dos outros itens incertos depois. Pode descobrir que, no fim, consegue viver sem eles à vista por um tempo.

9. Conte à sua família

Certifique-se de informar aos que moram com você que está trabalhando nesse projeto de organização. Melhor ainda, peça a eles apoio e ajuda para finalizar ainda mais rápido o plano. No mínimo, você quer ter certeza de que eles não cheguem depois e desorganizem de novo os espaços que você terminou. Se você tem crianças, é ótimo envolvê-las em projetos de limpeza de dez minutos. Elas vão gostar de correr contra o relógio para finalizar uma tarefa.

10. Aproveite o processo

Mesmo as menores realizações conferem uma sensação imensa de satisfação e orgulho. Todo dia, você completará uma pequena tarefa que culminará em uma casa eficiente, organizada e em ordem. Porém, em vez de ver essas tarefas diárias tão somente como um meio para atingir um fim, tente aproveitar cada bloco de dez minutos de tempo. Ponha um pouco de música e deixe isso divertido. Dê a si mesmo uma bela recompensa ao finalizar a tarefa — uma xícara de chá, ler durante alguns minutos ou sair para dar uma volta.

Marie Kondo, autora do livro *A Mágica da Arrumação: A Arte Japonesa de Colocar Ordem na sua Casa e na sua Vida*, afirma: "O espaço em que vivemos deveria ser para a pessoa que estamos nos tornando agora, não para a pessoa que fomos no passado".

Apegar-se fortemente ao passado, seja através de seus pensamentos ou da desorganização, causa sofrimento a si mesmo. Deixe ir. Liberte os objetos físicos que o sobrecarregam. Foque sua mente e sua vida diária no presente e se sentirá livre, leve e solto.

Simplifique Sua Vida Digital

Há muita coisa boa vinda da explosão de tecnologia e comunicação digital. Definitivamente, ela tornou nossas vidas mais fáceis, rápidas e produtivas. Mas nossa devoção a dispositivos digitais chegou a um ponto de retorno.

Nós nos tornamos obcecados por tecnologia e isso está impactando todos os aspectos de como vivemos nossas vidas. Somos escravos de aparelhos que deveriam simplificar nossas vidas, e preferimos a solução rápida da informação instantânea e lazer de baixa qualidade a interações e experiências do mundo real.

Passamos horas nas mídias sociais. Nossas caixas de mensagens estão inundadas. Nossas áreas de trabalho estão cheias de lixo. Nossos laptops estão abarrotados de mais documentos, fotos e downloads do que conseguimos assimilar em uma vida.

"Tralhas" digitais têm uma maneira insidiosa de ocupar nosso tempo com atividades não essenciais — e, exatamente como a desorganização física em sua casa, a desorganização digital cria sentimentos de ansiedade, agitação e sobrecarga.

No livro *10-Minute Digital Declutter: The Simple Habit to Eliminate Technology Overload,* Barrie e Steve relembram:

Se você soma o tempo gasto em cada dispositivo digital todos os dias, então provavelmente tem uma relação mais próxima com o mundo virtual que com seu cônjuge, filhos ou amigos. Você sabe que há algo errado com esse equilíbrio, e mesmo assim ainda se pega erguendo a tampa ou olhando fixo para seu iPhone sempre que tem um momento livre — ou mesmo quando não tem. É desse jeito que você quer realmente viver sua vida?

Desse livro, recomendamos que considere algumas atitudes para dar suporte a seus hábitos mentais de organização.

Como está passando seu tempo digital?

Dê uma olhada de forma realista em como está passando o tempo em seus dispositivos. É claro que atividades online são necessárias para sua vida pessoal e profissional, mas também há as horas que você passou conectado apenas surfando na rede, jogando e dando entrada em mídias sociais.

PARTE IV ORGANIZANDO SEU ENTORNO

Passe alguns minutos revisando seu dia e acrescente o tempo não essencial que você passou conectado. Melhor ainda, documente suas atividades digitais ao longo do dia. Você ficará surpreso com a quantidade de tempo que dedica a experiências virtuais.

Toda essa inserção digital gera agitação e tem um aspecto viciante que o distancia de buscas mais significativas, que o energizam em vez de esgotá-lo.

Onde e como você pode começar a reduzir?

Comece com uma hora do dia que você considere sagrada e livre de toda hora digital. Feche o computador e coloque o telefone em uma gaveta. O que você pode fazer em vez de se envolver em distrações digitais?

Sugerimos que você...

- Leia um livro.
- Tenha uma longa conversa.
- Exercite-se.
- Converse com um amigo.
- Passe um bom tempo com seu cônjuge e filhos.
- Faça algo criativo, como escrever ou desenhar.
- Aprenda uma nova habilidade.
- Medite.
- Ouça música.
- Ande de bicicleta.
- Termine um projeto.

Faça algo que seja real, presente e positivo para evitar o esgotamento da imersão digital e os sentimentos secundários de culpa e ansiedade que, com frequência, acompanham ficar conectado por um tempo excessivo.

O quanto seus dispositivos ficaram desorganizados?

Desorganização digital toma conta de você porque não é tão visível como a desorganização em sua casa. Antes que se dê conta, sua área de trabalho está cheia de ícones, sua caixa de e-mail transbordando e seus arquivos e documentos tão desorganizados que você precisa de um grupo de busca para ajudá-lo a encontrar qualquer coisa.

Se você é como nós, sua vida se articula nos conteúdos do seu computador. Pode soar radical, contudo, se você mantém todos os documentos pessoais e profissionais em seu computador, então você sabe como esse equipamento é crucial em sua vida cotidiana.

É muito fácil permitir que nossas vidas computadorizadas se tornem o equivalente digital de *Acumuladores*. Tentar localizar documentos e e-mails desperdiça seu tempo e causa frustração diária e ansiedade.

Seu smartphone é apenas outro minicomputador que você carrega no bolso ou na bolsa. É outro lugar para uma horda de "tralhas" digitais que o exaure com excesso de aplicativos, fotos, feeds de notícias e jogos.

Caso seus dispositivos estejam superlotados, você sente o peso desse excesso, estando ou não ciente disso. Se você leva dez minutos por dia para começar a jogar o lixo fora, começará a se sentir cada vez mais leve e sem travas.

Sugerimos que você inicie por onde colherá as maiores recompensas de organizar seus dispositivos. Se diariamente fica frustrado porque não consegue encontrar um documento de que precisa, comece por aí. Se tem palpitações a cada vez que vê milhares de e-mails em sua caixa, esse é o lugar para começar. A chave é apenas começar.

Qual é sua mentalidade digital?

Não é novidade para você que seus dispositivos digitais (ou melhor, o que eles contêm) causam estresse mental e agitação. Nenhum de nós gosta de admitir isso, mas todos sabemos o quanto o mundo digital se tornou disseminado em nossas vidas cotidianas.

Isso não é uma moda passageira que com o tempo vai acabar. Ela veio para ficar, e muito provavelmente vai se tornar cada vez mais predominante a cada ano que passa. Depende de você decidir como administrar a invasão tecnológica em sua vida e o impacto em sua saúde mental. É importante ser proativo em seus valores e escolhas relacionados à sua vida digital.

Ao desenvolver um "sistema de valores" digital, você cria limites pessoais que o ajudam a administrar seu tempo e a desorganização (tanto mental como digital).

PARTE IV ORGANIZANDO SEU ENTORNO

Aqui estão algumas questões para se perguntar, que podem ser usadas para criar limites digitais:

- Quanto tempo por dia tenho necessidade absoluta de ficar em meus dispositivos no trabalho?

- Estou em um emprego que me exige passar mais tempo do que quero atrás do computador?

- Como eu poderia interagir cara a cara com as pessoas em meu trabalho com mais frequência?

- Quanto tempo quero passar trabalhando em meu computador de casa?

- Quanto tempo de lazer quero passar nas mídias sociais?

- Quanto tempo de lazer quero passar em meu smartphone?

- Em quais situações telefonar ou encontrar pessoalmente é mais apropriado que uma mensagem?

- Quais amizades da vida real eu negligenciei, e como quero cultivá-las?

- Quais acordos familiares ou no relacionamento deveríamos fazer sobre usar smartphones, iPads ou laptops na presença uns dos outros?

- Quais tradições ou tempo com a família (como jantar juntos) você quer tornar sagrados e particulares, sem a presença de dispositivos digitais?

- Quais limitações ou regras deveríamos ter para uso de dispositivos digitais por crianças?

- Como eu poderia ser um modelo para meus filhos em relação a essas regras?

- Quando estou com tempo livre, quais seriam as cinco melhores maneiras de usá-lo?

- Como posso lidar com os impulsos de "surfar na rede" ou participar de mídias sociais quando na verdade não quero fazer isso?

- Como vou me comprometer a administrar minha desorganização digital a fim de que ela não saia de controle?

Use as respostas a essas perguntas para anotar seus valores e compromissos pessoais relacionados a como você dispende tempo e energia conectado e desconectado de seus dispositivos. Talvez você "caia do cavalo" de tempos em tempos, mas agora você tem um cavalo para subir de volta!

Simplifique
Suas Atividades

*"Não subestime o valor de não fazer nada, de somente aceitar,
ouvir todas as coisas que você não pode escutar e não se incomodar."*
– Ursinho Puff

Quantas vezes você respondeu à pergunta "Como vai?" dizendo "Estou tão ocupado. A vida está uma loucura."? Quando foi a última vez que você ou alguém que conhece respondeu à pergunta "Como vai?" com "A vida está ótima. Estou relaxado de verdade e fazendo absolutamente nada."?

Todo mundo está com pressa — fazendo, fazendo, fazendo. Mas para quê?

Por que estamos preenchendo nossas listas de "atividades" para nos apressarmos e aproveitarmos as horas de lazer que nunca parecem se concretizar?

Sentimos culpa se nossas horas não estão lotadas de atividades "produtivas" que servem ou para gerar renda ou inflar o ego. Não fazer nada durante um período prolongado parece fracasso, mesmo se continuamos a desenvolver tecnologia de economia de tempo, aparelhos e dispositivos. O tempo que ganhamos é rapidamente sugado para reprimir a ansiedade criada por não ter muito o que fazer.

De acordo com um artigo de 2014 no *The Economist*: "Culturas individualistas, que ressaltam a conquista acima da parceria, ajudam a cultivar essa mentalidade "tempo é dinheiro". Isso cria uma urgência em fazer que cada momento conte, observa Harry Triandis, psicólogo social da Universidade de Illinois".

Você se pega correndo por aí feito uma galinha, dando visto de maneira inconsciente nos itens de sua lista para se sentir produtivo e digno?

Às vezes nossas agendas dominam nossas vidas, e não refletimos se estamos ou não passando nosso tempo de maneiras que contribuem para a desorganização mental e o estresse, que é tão incapacitante.

Ficamos encurralados na rotina de tarefas e compromissos, deixando pouco tempo para as coisas que nos permitem estar presentes e totalmente comprometidos.

PARTE IV ORGANIZANDO SEU ENTORNO

Omid Safi, diretor do Centro de Estudos Islâmicos da Universidade de Duke, afirma em um artigo para o *On Being* com Krista Tippet:[29]

O que houve com um mundo em que não podemos nos sentar com as pessoas que tanto amamos e ter conversas demoradas sobre o estado de nosso coração e alma, conversas que se desdobram devagar, conversas com pausas significativas e silêncios que não temos pressa alguma para preencher?

Como foi que criamos um mundo em que temos mais e mais e mais coisas para fazer com menos tempo para lazer, menos tempo para reflexão, menos tempo para a comunidade, menos tempo para apenas... ser?

Não há dúvida de por que é difícil se libertar da armadilha de estar ocupado. Sofremos lavagem cerebral para acreditar que "cabeça vazia é oficina do diabo". Não estamos sugerindo que trabalhar duro, ser produtivo e ter uma vida ativa são coisas ruins. Ao contrário, isso pode contribuir para uma vida gratificante e feliz. Mas há um ponto de retorno que cria o efeito oposto, fazendo-o se sentir esgotado e sobrecarregado.

Economizar e excluir atividades não essenciais pode parecer desconfortável no início, e mesmo ameaçador. Se eu economizar, o que as pessoas vão pensar? Vou perder renda? Vou parecer preguiçoso? Meus filhos vão me apoiar? Meu mundo vai cair por terra?

O primeiro passo para economizar é abraçar isso como um esforço digno — tomando consciência de que ficar ocupado está contribuindo para sua desorganização mental e aceitando que menos realmente pode ser mais.

Aqui estão oito estratégias para organizar sua agenda, para que você possa aproveitar mais o que é importante de verdade:

Estratégia n° 1: Privilegie suas prioridades diárias

Em vez de tentar "encaixar" suas prioridades de vida em sua agenda ocupada, primeiro crie espaço para suas preferências. Por exemplo, se passar tempo com seu cônjuge ou filhos é uma prioridade, então assuma o compromisso com o tempo que vai passar com eles todos os dias. Não permita que esse tempo seja desrespeitado sem boas razões definidas antecipadamente por você.

Antes de deixar que uma prioridade seja desalojada por algo "realmente importante", respire fundo e pense a respeito. Será que "algo importante" prevalece sobre suas prioridades de vida?

Estratégia nº 2: Depure seus compromissos

Escreva todos os compromissos e tarefas pessoais e profissionais para a próxima semana (ou mês, se já estiver ciente deles). Reveja a lista para verificar se há alguns que pode simplesmente largar sem consequências sérias. Depois, revise novamente a lista para verificar o que pode conseguir delegar, adiar ou encurtar.

Se mantiver algo na lista porque se sente obrigado ou desconfortável, experimente retirá-lo mesmo assim e ver o que acontece. Você poderá descobrir que se sente livre, e que as repercussões que temia não acontecem.

Estratégia nº 3: Foque em três objetivos importantes por dia

Em vez de tentar executar uma longa lista de projetos e tarefas durante o dia, reduza-a para apenas três objetivos. Permita-se fazer menos, mas com mais intenção, tempo e foco.

Certamente você pode lidar com mais coisas se executar seus três objetivos por dia, mas ter apenas três já definidos lhe dá sensação de controle, paz interna e realização sem sentimento de sobrecarga e urgência.

Estratégia nº 4: Incorpore uma hora sagrada

Dê tempo a você mesmo durante o dia para não fazer absolutamente nada. Sente-se em uma cadeira e olhe pela janela, ou faça uma caminhada e ouça os pássaros. Você não precisa meditar, respirar, planejar, ruminar ou "fazer" algo. Apenas seja.

Experimente cinco minutos disso algumas vezes por dia. Em algum momento, você talvez se sinta confortável "apenas sendo" durante uma hora ou mais por dia.

PARTE IV ORGANIZANDO SEU ENTORNO

Estratégia nº 5: Reavalie a agenda de seus filhos

Os pais de hoje em dia não são tão dispostos, como a geração anterior de pais, a deixar os filhos terem tempo livre não estruturado. Crianças estão sobrecarregadas de horários com várias atividades extracurriculares e brincadeiras planejadas. Soma-se a isso uma carga de lições de casa muito mais pesadas e as tentações do mundo virtual, e não surpreende que crianças não passem tempo algum com brincadeiras criativas, saindo com a família ou sozinhas com suas próprias fantasias.

Crianças — sobretudo crianças pequenas — necessitam de muito tempo livre para o desenvolvimento de sua saúde emocional e mental. Assim como adultos, elas podem sofrer de ansiedade, depressão e outros problemas quando se sentirem sobrecarregadas.

Dorothy Sluss, Professora Associada de Educação Elementar e Primeira Infância na Universidade James Madison e presidente da seção da Associação Internacional pelo Brincar dos EUA, afirma que, para cada semana intensiva de atividades agendadas ou acampamento, crianças precisam de três semanas de tempo menos agendado.

Pais também sofrem com a superlotação da agenda de seus filhos. Passar horas no carro arrastando crianças de uma atividade para outra é exaustivo. Planejar atividades variadas para inúmeras crianças pode ter um impacto negativo severo em sua energia mental. A ansiedade gerada por esperar que seu filho se sobressaia no esporte ou viaje com o grupo de colegas só aumenta a desorganização mental em sua vida.

É difícil tomar a decisão de limitar as atividades extracurriculares de seu filho, sobretudo em uma cultura que idolatra competição mesmo para os mais novos. Mas você fará um favor para seu filho e para si mesmo encontrando equilíbrio entre atividades enriquecedoras e momentos de ócio completo.

Estratégia nº 6: Saia do trabalho no horário

De acordo com um artigo recente[30] no *Los Angeles Times*, os norte-americanos "dedicam mais horas em seus trabalhos que qualquer outro povo no mundo industrializado, com exceção dos coreanos. Tiramos muito menos dias de férias que os europeus. Nos últimos anos, muitos de nós vimos dobrar nossa carga de trabalho ao mesmo tempo que nossos ganhos permaneceram estáveis".

Mas o artigo continua dizendo: "Numerosos estudos indicaram que pessoas que dedicam muitas horas em seus trabalhos, ou por escolha ou por exigência, tornam-se ineficientes. Com raras exceções, eles se esgotam e perdem sua capacidade criadora".

Se você está trabalhando mais horas que o expediente normal ou descobriu que está sacrificando outras prioridades de vida por conta do tempo que passa no emprego, então talvez queira reavaliar suas horas de trabalho. Isso é importante sobretudo se você for empreendedor ou trabalhar em casa, como Steve e Barrie fazem.

Mesmo se você for apaixonado por seu trabalho, ficar sobrecarregado ainda pode criar problemas emocionais de saúde se não está equilibrando com descanso, relacionamentos e outras atividades relaxantes.

Se você trabalha horas demais, tente reduzir aos poucos, começando com um dia por semana. Saia do trabalho no horário, ou, se trabalha em casa, desligue o computador às 17h e comprometa-se a mantê-lo desligado à noite.

Estratégia nº 7: Tire um período sabático digital

Já abordamos como o excesso de atividades digitais pode levar à agitação mental. Mesmo quando não estamos usando nossos smartphones ou laptops, eles estão sempre pairando por perto, chamando-nos para dar entrada no trabalho e ver o que está acontecendo no Facebook, ou nos seduzindo para nos divertirmos no último aplicativo de jogos.

Embora nossos pais tivessem várias distrações, eles não tinham os constantes hábitos de levar o telefone para o banheiro que vivenciamos hoje com nossos dispositivos. É mais exceção que regra ver alguém andando na rua *sem* um celular colado na orelha ou digitando uma mensagem de texto.

Considerar a ideia a seguir pode deixá-lo hiperagitado, mas um dos melhores modos de obter clareza mental em sua vida é tirar "períodos sabáticos digitais" com frequência, nos quais não tenha nenhum acesso a celular, tablet, computador ou qualquer aparelho que o conecte à internet.

Comece com apenas um dia inteiro ou um fim de semana, ou considere usar suas férias como um detox digital em que tão somente relaxe e passe o tempo com pessoas reais, fazendo atividades do mundo real. Se descobrir que isso o ajuda a se sentir menos estressado, agende com regularidade esses retiros em sua vida.

PARTE IV ORGANIZANDO SEU ENTORNO

Estratégia nº 8: Explore o poder do fluxo e do foco

Mihaly Csikszentmihalyi (pronuncia-se Mi-hai Tik-sent-mi-hai) é um psicólogo húngaro e pioneiro no trabalho sobre compreender a felicidade, criatividade, satisfação humana e a noção de "fluxo" — termo que ele cunhou para descrever um estado de experiência que envolve foco elevado e imersão em atividades como arte, jogos e trabalho. Ele é autor do best-seller *Fluir: Psicologia de uma Experiência Otimizada.*

Cziksentmihalyi define fluxo como "um estado em que as pessoas ficam tão envolvidas em uma atividade que nada mais parece importar; a experiência é tão prazerosa que vão continuar a fazê-la mesmo com um alto custo, somente por questão de fazê-la".

Durante um estado de "fluxo", uma pessoa está completamente absorvida em uma atividade, sobretudo que envolva habilidades criativas. Durante essa atividade, elas se sentem "fortes, alertas, em controle sem esforço, não autoconscientes e no ápice de suas habilidades". Elas estão altamente focadas e não se distraem.

O tempo de descanso que se passa só ou com família e amigos é um excelente antídoto para desorganização mental, mas tempo passado no estado de fluxo a leva para outro nível. O estado de fluxo pode ser equiparado a um estado meditativo durante o qual você e a atividade são uma coisa só, e suas ações vêm sem esforço.

Sua mente fica tão absorvida na atividade, que você se sente transportado e quase se esquece de si mesmo, já que está tão imerso no momento presente. O estado de fluxo, de acordo com Csikszentmihalyi, é a "experiência otimizada", e fonte de nossa maior felicidade e satisfação. Ele identifica diversos elementos associados na obtenção do fluxo, os quais incluem:

- Há objetivos claros a cada passo do caminho.

- Há retorno imediato para as ações.

- Há um equilíbrio entre desafios e habilidades.

- Ação e atenção estão mescladas.

- Distrações estão excluídas da consciência.

- Não há preocupação em falhar.

- A autoconsciência desaparece.

ORGANIZE SUA MENTE

- A noção de tempo se torna distorcida.

- A atividade se torna um fim em si mesma.

Você pode alcançar o estado de fluxo fazendo o seguinte:

Encontre um desafio

Escolha uma atividade que goste de fazer e encontre algo desafiador. Pode ser qualquer coisa, seja tocar violino, escrever um livro, fazer yoga, jogar golfe ou focar em um projeto de trabalho. Uma atividade com um conjunto claro de regras ou objetivos definidos deixa o desafio melhor, porque você pode agir sem questionar o que ou como algo deveria ser feito.

Desenvolva suas habilidades

Para conseguir encarar o desafio, você tem de desenvolver suas habilidades e se tornar proficiente. Se a atividade é fácil demais, você se cansará rápido e sua mente começa a divagar, impedindo-o de alcançar o estado de fluxo. No entanto, se é difícil demais, você se sentirá sobrecarregado e não conseguirá alcançar a competência inconsciente necessária para o estado de fluxo.

Estabeleça objetivos claros

Você precisa estar muito claro sobre o que deseja alcançar com sua atividade e como saberá que está se saindo bem. Por exemplo, você pode dizer: "Vou escrever um capítulo do meu livro. Vou saber que estou me saindo bem se definir sobre o que será o capítulo, esboçar os pontos principais que quero elaborar, pesquisar os fatos que necessito incluir e como vou estruturar o material."

Foque intencionalmente na tarefa em mãos

Para manter um estado de fluxo, você precisará eliminar todas as outras distrações. Você não quer que nada tire sua atenção da tarefa ou perturbe o estado em que está. Uma vez que sua concentração se interrompe, você tem de reconstruir o estado de fluxo.

Reserve tempo suficiente

Vai levar pelo menos 15 minutos para você começar a entrar no estado de fluxo, e um pouco mais que isso até você se sentir totalmente presente e imerso na atividade. Uma vez no estado de fluxo, você vai querer ter bastante tempo para finalizar seus objetivos e atingir a "experiência culminante".

Monitore seu estado emocional

Se está tendo problemas para entrar no estado de fluxo, monitore suas emoções. Se está em um estado estimulado de ansiedade, experimente um exercício tranquilizante, como respiração ou meditação. Caso seu nível de energia esteja baixo e você está se sentindo preguiçoso, faça algo que o revigore, como exercícios, comer um lanche saudável ou ligar para um amigo. Depois, volte para sua atividade e tente outra vez.

Quando está completamente focado em um estado de fluxo, você está totalmente presente no momento. É durante esses momentos que sua mente está no mínimo da desorganização e da distração.

Ao se pegar ruminando ou agitado, faça algumas respirações profundas e comece uma atividade de fluxo por 30 minutos a uma hora, ou mais. Dê-se tempo suficiente para ficar imerso na atividade, e descobrirá que ela tem um efeito calmante sobre você, além de ajudá-lo a se tornar mais produtivo e feliz.

Simplifique Suas Distrações (Para Superar a Procrastinação)

*"Procrastinação é como cartão de crédito:
é muito divertido até chegar a conta."*

– Christopher Parker

Todos nós procrastinamos, mas deixar as coisas para depois é uma das piores ofensas quando o assunto é desorganização mental. Quando você tem algo "pairando sobre a cabeça", nunca se sente acomodado ou relaxado porque isso está constantemente incomodando.

Nesta época de constantes distrações, procrastinamos mais do que nunca. O telefone faz barulho e olhamos. O e-mail soa e clicamos nele. Temos múltiplas janelas abertas em nossos computadores nos atraindo para longe da tarefa em mãos.

Toda distração é um ladrão que rouba nosso foco de fazer o que tem de ser feito ou que desejamos intensamente alcançar. Temos todas as desculpas de que precisamos para começar mais tarde, para pegar amanhã ou para terminar assim que lermos só mais alguns posts no Facebook.

Distração gera procrastinação, mas procrastinação é também o resultado do medo — medo do fracasso ou medo do sucesso. É o grande "E se" que fica entre você e a atitude que deseja tomar. Mesmo que a maioria desses medos sejam infundados, permitimos que eles nos distanciem da tarefa em mãos.

Também procrastinamos porque tememos tarefas difíceis. Não queremos esgotar nossos cérebros ou dispender a energia necessária para começar. Como provavelmente você já vivenciou, a parte de começar é a mais difícil. Uma vez que começa, o impulso o leva adiante, mas se continua procrastinando, você nunca conseguirá pegar a onda do impulso.

Procrastinar não somente rouba tempo precioso e impulso que poderíamos dedicar à realização, como também nossa energia e motivação.

PARTE IV ORGANIZANDO SEU ENTORNO

Quanto mais adiamos algo importante, piores nos sentimos a nosso respeito. Quanto mais nos sentimos piores, menos motivação temos para seguir adiante em nosso trabalho e mais procrastinamos com distrações sem sentido. É um ciclo vicioso que o aprisiona em autorrecriminações e ansiedade.

O primeiro passo para superar procrastinação é a consciência do impacto negativo devastador que ela tem em seu estado mental.

Pense nisto: é provável que você passe pelo menos uma hora por dia procrastinando. São sete horas por semana — quase um dia inteiro de trabalho. Então, você perde 52 dias inteiros de trabalho por ano para a procrastinação. O que você poderia fazer com 52 dias de trabalho a mais?

Você poderia:

- Escrever um livro.
- Começar um negócio.
- Construir um blog.
- Voltar para a escola.
- Melhorar (e construir novas) relações pessoais.
- Ensinar a si mesmo um novo idioma.
- Terminar vários projetos grandes de trabalho.

Se essas conclusões o convenceram a superar a procrastinação, então recomendamos as seguintes ações diárias para ajudá-lo a produzir mais durante sua semana de trabalho:

1. Planeje com antecedência

Antes de dormir, ou logo pela manhã, determine sua primeira tarefa mais importante do dia. Em seguida, decida sua segunda e sua terceira tarefa mais importante. Relacione-as a algo crítico em seu trabalho ou negócio — algo que vai movê-lo para a frente, trazer-lhe mais dinheiro, expandir suas oportunidades. Não deveriam ser tarefas administrativas tolas ou para encher linguiça.

2. Defina seu por quê

Antes de começar sua tarefa mais importante, pergunte-se por que ela é tão importante. Qual é a motivação positiva para perseguir essa tarefa? Como ela vai beneficiá-lo? Como você se sentirá quando finalizá-la?

Ter clareza dos motivos pelos quais você está fazendo algo vai ajudá-lo a avançar quando começar a se sentir cansado ou distraído. Você poderia anotar seus motivos para ter por perto em caso de precisar de um lembrete.

3. Faça por partes

Separe sua tarefa mais importante em todas as ações e subtarefas envolvidas na finalização da principal. Anote e priorize cada ação envolvida em terminar a tarefa. Depois, calcule quanto tempo cada subtarefa vai levar e anote.

4. Determine sua agenda

Em que horário do dia você é mais produtivo ou criativo? Para Barrie, é logo pela manhã, quando seu cérebro está descansado. No entanto, seu horário mais produtito talvez seja no meio da tarde. Organize suas subtarefas prioritárias para maximizar seu horário mais produtivo.

5. Prepare aquilo de que precisa

Certifique-se de ter tudo de que precisa antes de sentar para trabalhar. Deixe café, água ou chá à mão. Faça um lanche pequeno e saudável como amêndoas, uma banana ou algumas cenouras para evitar aquela sensação de vazio no estômago. Certifique-se de que a luz esteja como quer e a mesa organizada ou limpa.

6. Repita o processo

Caso sua tarefa prioritária do dia só leve algumas horas, então passe para a segunda e repita os passos acima para ela. Depois de finalizar a segunda tarefa, faça isso também para a terceira.

PARTE IV ORGANIZANDO SEU ENTORNO

7. Elimine distrações

Isso é extremamente importante para ajudá-lo a permanecer focado. Quando Barrie estava na faculdade, ia para um "armário de estudos" em seu quarto — um minúsculo espaço do tamanho de um armário com apenas uma escrivaninha e uma luminária. Se estava levando um projeto a sério ou se preparando para uma prova e não queria distrações ou motivos para procrastinar, era para lá que ela ia.

Encontre um local onde possa trabalhar sem interrupções. Desligue o telefone. Feche todos os outros navegadores de seu computador e desligue o som para não ter que ouvir nenhum toque de e-mails. Coloque uma placa de "não perturbe" na porta do escritório.

8. Comece com atenção plena

Antes de começar a primeira subtarefa mais importante do dia, feche os olhos, respire fundo algumas vezes e defina uma intenção de finalizar sua tarefa com facilidade e produtividade. Visualize-se terminando-a e como você se sentirá depois disso. Mas tente não fazer desse momento outro motivo para procrastinar. Torne-o uma preparação mental de um a dois minutos para começar seu trabalho.

9. Ajuste um temporizador

Se para você é difícil ficar focado, ajuste um temporizador para 20 a 30 minutos (ou menos, se ficar focado for realmente difícil para você). Trabalhe com empenho durante esse tempo e, quando o temporizador disparar, permita-se um intervalo curto para se alongar, dar uma caminhada, fechar os olhos ou qualquer coisa que revigore. Tente não usar esse tempo para verificar e-mails, entrar em uma conversa telefônica longa ou fazer qualquer coisa que roube seu tempo produtivo.

Uma estratégia que Steve usa para criar foco elevado (usando um temporizador) é a Técnica Pomodoro,[31] em que você foca em uma única tarefa por 25 minutos, faz um intervalo de 5 minutos e, então, começa outro bloco de tempo de 25 minutos. Essa estratégia pode ser extenuante algumas vezes, mas sempre o ajuda a ficar direcionado a suas atividades mais importantes.

10. Agende intervalos mais longos

Entre suas três tarefas mais importantes, agende intervalos mais longos, de 15 minutos a uma hora (para almoço). Use esses intervalos para se reenergizar fazendo algum exercício ou meditação, ou tendo alguma conversa não estressante com alguém.

11. Dê a si mesmo uma recompensa

Após finalizar uma tarefa ou séries de subtarefas, dê-se uma recompensa ou com os intervalos mencionados anteriormente ou permitindo-se verificar telefone, e-mails ou mídias sociais por um período curto de tempo (10 a 15 minutos). Ou faça alguma outra coisa que pareça gratificante e motivadora.

12. Agende tarefas que não exijam esforço mental

Além de suas três tarefas mais importantes do dia, com certeza você terá tarefas que não exigem esforço mental para realizar. Se a primeira coisa que você precisa fazer de manhã é verificar e-mails, permita-se um curto período de tempo para isso (10 a 15 minutos).

Ajuste um temporizador e, mesmo que não tenha verificado todos os e-mails, pare por ora, vá para a sua tarefa mais importante e volte aos e-mails mais tarde no dia, quando tiver finalizado seu trabalho. Outras funções sem esforço intelectual, como burocracias simples, organização ou qualquer coisa que não exija muita inteligência podem ser agendadas para seus períodos menos produtivos do dia.

Simplifique Suas Ações

*"Beba seu chá devagar e com reverência, como se fosse o eixo ao redor
do qual a terra gira — devagar e sempre, sem correr em direção ao futuro;
viva o momento atual. Somente esse momento é vida."*

– Thích Nhat Hanh

E se você pudesse estar sempre no estado de fluxo descrito anteriormente, no qual o tempo desaparece e você está uno com a atividade? Talvez isso fosse um estado abençoado e transformador em que viver — mas você poderia morrer de fome, esquecer de pagar suas contas e se esquecer de tomar banho.

A vida real exige que você lide com as atividades mais banais, mas necessárias, da sobrevivência diária em uma sociedade organizada. Elas são as tarefas que tentamos "acabar" a fim de aproveitar o real entusiasmo pela vida, o que quer que isso signifique para você.

A menos que você more em uma caverna ou monastério, essas obrigações da "vida real" tomam muito tempo e energia. Mesmo que consiga limitar essas tarefas, você não pode fugir de todas elas sem algumas consequências desagradáveis.

Mas talvez fugir delas não seja realmente necessário para organizar sua mente e aproveitar mais a vida. E se você trouxesse atenção plena para tudo o que faz, incluindo atividades desagradáveis, chatas ou neutras da vida comum?

Como Thích Nhat Hanh sugere na citação acima, em vez de sugar seu chá enquanto pensa em tudo o que tem de fazer hoje, mude de perspectiva e veja beber o chá como a *única* coisa importante no mundo (enquanto o bebe). Essa mudança deveria se aplicar a tudo o que você faz — de lavar os pratos até limpar a caixa do gato.

Talvez você não queira estar presente enquanto limpa a caixa do gato, mas presença é o estado da mente que você quer buscar em *tudo* o que faz.

É possível estar presente o tempo todo? Na verdade, não. Mas você pode tentar. E se você tiver sucesso em viver com atenção plena apenas com um pouco mais de frequência, descobrirá que a alegria e a paz que procura estão o tempo todo ao alcance da mão.

PARTE IV ORGANIZANDO SEU ENTORNO

Vamos analisar cinco maneiras pelas quais você pode trazer atenção plena à sua vida diária para ficar mais presente e ciente mesmo durante as atividades mais banais.

N° 1: Alimente-se de maneira consciente

Era uma vez uma época em que pessoas costumavam passar horas produzindo e preparando comida. Elas fariam uma parada no fim da tarde para uma grande refeição chamada "jantar", quando todo mundo deixaria o trabalho e se sentaria junto para comer. Mais tarde, o jantar passou a acontecer à noite, mas ainda era uma ocasião em que pessoas se sentavam juntas e passavam tempo comendo e conversando.

Com o advento do fast-food, da tecnologia e das multitarefas, comer tem sido com frequência rebaixado a uma refeição rápida entre compromissos, algo necessário para nos manter abastecidos para nossas vidas hiper atribuladas. Não somente negligenciamos o ritual de refeições em família como, também, com frequência desconsideramos o simples prazer de comer.

Talvez não tenhamos tanto tempo para focar na preparação da comida como nossas avós tinham, mas podemos estar conscientes da comida com que nos alimentamos e como vivenciamos uma refeição. Isso significa não comer na frente da TV ou do computador, mas, em vez disso, sentar-se com sua família ou sozinho em um lugar silencioso e sem distrações.

Aqui estão algumas reflexões sobre comer de maneira consciente:

- Antes de comer, olhe para o alimento e observe as cores, cheiros e texturas.
- Feche os olhos e inspire os aromas.
- Observe a própria fome e a urgência para comer.
- Ao colocar o primeiro pedaço de comida na boca, observe sabores e sensações imediatas.
- Enquanto mastiga, observe como os sabores podem mudar ou expandir.
- Mastigue e engula devagar a comida, com um pensamento de gratidão pelas mãos que a prepararam.
- Enquanto continua a comer, observe como seu estômago se enche e sacia seu apetite.
- Esteja atento à sensação de saciedade, e pare de comer quando estiver satisfeito. Não se sinta obrigado a comer demais só para limpar o prato.

- Após terminar a refeição, sente-se por alguns momentos para digerir a comida.

- Após a refeição, lave o prato e utensílios de maneira consciente e guarde-os.

Quando você se alimenta de maneira consciente, não apenas saboreia a experiência de comer, mas também vai colaborar para a digestão adequada e absorção de nutrientes. Estudos mostram que comer devagar leva a uma melhora na saciedade e redução do consumo de calorias.

Nº 2: Limpe sua casa de maneira consciente

Thích Nhat Hanh afirmou que lava pratos com o mesmo cuidado que teria se estivesse dando banho no Buda recém-nascido: "Se sou incapaz de lavar pratos com alegria, se quero terminar rápido para ir tomar uma xícara de chá, então serei incapaz de beber o chá com alegria".

Em vez de limpar a casa como um meio de organizar a mente, foque em fazer e não em acabar logo. A limpeza não vai se tornar uma experiência elevada em um passe de mágica, mas você se sentirá mais elevado por simplesmente ter prestado atenção à refinada causa e efeito da limpeza. Tente enxergar a limpeza da casa como um laboratório para estar presente e comprometido com a vida.

Essa mudança de mentalidade pode ser aplicada em qualquer função de rotina — lavar o carro, cortar a grama ou até mesmo pagar as contas. Você pode abordar essas tarefas com temor e ressentimento, ou pode abordá-las com atenção total e sentimento de gratidão por ser capaz de realizá-las, por elas melhorarem sua vida e, ainda que corriqueiras, por elas serem dignas de seu tempo.

Nº 3: Caminhe de maneira consciente

Como Barrie escreve em seu livro *Peace of Mindfulness*: "Ao caminhar, você pode estar consciente ao ouvir com intenção seus pés batendo no chão e os sons da natureza ao redor. Assimile a paisagem que está observando, a sensação do ar quente ou frio, e os cheiros de estar ao ar livre."

Por qualquer lugar que ande (ambiente interno ou externo), e qualquer que seja seu destino, preste atenção ao longo do caminho. Você não tem de apressar seu olhar para o resultado final. Deixe que caminhar seja seu destino.

PARTE IV ORGANIZANDO SEU ENTORNO

Nº 4: Vivencie a natureza de maneira consciente

Numerosos estudos[32] têm mostrado os benefícios mentais e físicos de se passar tempo na natureza. Estar em florestas e espaços verdes pode:

- Reforçar o sistema imunológico.

- Baixar a pressão arterial.

- Reduzir o estresse.

- Melhorar seu humor.

- Aumentar sua habilidade de focar.

- Acelerar recuperação de cirurgia ou doença.

- Aumentar seu nível de energia.

- Melhorar seu sono.

Você vai vivenciar esses benefícios simplesmente dando uma caminhada na natureza ou se sentar em silêncio em uma floresta. No entanto, ao abordar de maneira consciente sua experiência na natureza, você vai intensificar os benefícios — sobretudo os relacionados à redução de estresse, humor e foco.

Quando passar um tempo na natureza, tente estar com todos os sentidos atentos para ficar totalmente presente e vigilante ao que o cerca.

Ouça... os sons dos pássaros cantando, das folhas farfalhando nas árvores, da água correndo sobre as pedras.

Veja... a luz do sol e as sombras, as pequenas flores silvestres no solo da floresta, o falcão voando em círculos acima.

Sinta o cheio... do odor terrestre de folhas secas, da fragrância de madressilva, do aroma de uma chuva recente.

A experiência de estar em espaços verdes e florestas é tão poderosa e limpa tanto a mente que deveria ser parte de sua prática Organize Sua Mente.

Nº 5: Exercite-se de maneira consciente

Os benefícios do exercício são tão numerosos que poderíamos encher um livro inteiro com eles. Os benefícios físicos são óbvios, mas com relação aos esforços em organizar sua mente, o exercício também tem profundos benefícios psicológicos.

116

ORGANIZE SUA MENTE

O Dr. Michael Otto, Professor de Psicologia da Universidade de Boston, afirma em um artigo[33] para a Associação Americana de Psicologia: "A relação entre exercício e humor é bem forte. Em geral, dentro de cinco minutos de exercício moderado você percebe um efeito de melhoria no humor".

O artigo continua dizendo que estudos confirmam que exercitar-se pode tratar e, talvez, evitar ansiedade e depressão, ambas potenciais resultados de desorganização mental, distração e ruminação.

Mesmo com a evidência impressionante de que o exercício o torna mais saudável, em melhor forma e mais feliz, a maioria das pessoas o evitam a qualquer custo. Exercitar-se pode parecer no mínimo uma obrigação, e tortura física para algumas pessoas. Parte do problema é a maneira como abordamos o exercício. Nós o vemos como um meio para atingir um fim — perder peso, lidar com o estresse ou prevenir doenças.

Aprendemos que, quando você elimina julgamento, apegos e medo da equação, condicionamento físico pode ser algo a se buscar, em vez de uma temida obrigação. Você não fica mais antecipando desconforto, pensando constantemente em largar ou julgando seus resultados. Você tão somente toma parte no movimento consciente, investindo lentamente em sua melhora a cada vez, enquanto presta atenção total a seu corpo.

Não importa qual atividade ou esporte pratique, você pode incorporar atenção plena em sua prática para maximizar uma mente clara e focada.

Experimente estas ideias:

Preste atenção em seu corpo

Ao começar sua prática de exercícios, preste atenção ao posicionamento de seu corpo. Sua postura está correta? Tudo está alinhado como deveria em torno de seu tronco?

Seu tronco é o centro de força e apoio, e, para que funcione de maneira eficiente, seu corpo precisa estar alinhado, com as costas retas, ombros para trás e cabeça erguida (a menos que o exercício peça algo diferente).

Deixe que seu tronco faça a maior parte do trabalho, enquanto seus membros ficam flexíveis e relaxados. Mesmo que esteja levantando peso com os braços ou

PARTE IV ORGANIZANDO SEU ENTORNO

pernas, acione o tronco para acrescentar força a seus membros. Enquanto se exercita, foque em acionar o torso, e imagine uma barra de aço mantendo seu corpo no alinhamento adequado.

Foque nas sensações de seu organismo. Está sentindo alguma dor ou desconforto? Sem reagir às sensações, simplesmente identifique-as. "Meus joelhos estão doendo. Estou tendo problema para tomar fôlego. Está quente aqui fora." Tente não resistir a nenhuma dor ou desconforto nem temê-los, mas, em vez disso, respire neles e visualize-os relaxando.

Mentalizar envio de energia ou força a qualquer parte de seu corpo é executar o trabalho do exercício. Se várias partes estão se movimentando ao mesmo tempo, espalhe a energia por todo o corpo.

Encontre sua âncora

Uma vez que pegar o ritmo dos movimentos de seu exercício, encontre uma âncora para manter seu foco. Coloque atenção em sua respiração, nos sons da natureza ou em um mantra que repita para si mesmo. Por exemplo, ao correr, você poderia focar no som de seus pés batendo no pavimento. Também poderia repetir mentalmente um mantra ou afirmação que combine com a cadência de sua respiração.

Durante treinos de fortalecimento, foque intensamente nos músculos que está trabalhando e na energia ao redor dessas áreas. Siga sua respiração, expire ao levantar ou acionar o peso e inspire ao baixá-lo. Continue focado em sua respiração, mesmo entre os levantamentos.

Quando pensamentos se intrometerem, apenas volte a atenção ao mantra ou à respiração, ou reserve um momento para acessar as sensações de seu corpo e ajuste ou relaxe conforme necessário. Então, volte à respiração ou ao mantra.

Observe seu entorno

Independentemente de onde está se exercitando (ambiente interno ou externo), preste atenção à temperatura, paisagens, sons, cheiros e quaisquer outras percepções sensoriais que impactem sua experiência. Puxe seu foco de dentro de você para seu entorno e observe tudo à sua volta.

ORGANIZE SUA MENTE

Se estiver em um ambiente externo, permita-se aproveitar o duplo benefício psico-lógico de estar na natureza e exercitar-se, enquanto presta atenção a seu entorno.

A todo momento e todos os dias, você pode facilmente ser sugado de volta para o vórtice de seus pensamentos e distrações. Você pode estar contemplando um céu maravilhoso cheio de estrelas ou colocando pratos na lava-louças e completamente inconsciente da experiência, por conta de sua mente desorganizada.

Sholto Radford, idealizador de retiros Wilderness Minds, afirma: "A prática de atenção plena nos convida a abrir mão de objetivos e expectativas e ver o que surge no espaço que sobrou quando a mente em luta silencia por um instante".

Seu dever é despertar, ainda que por apenas alguns momentos todos os dias, para vivenciar de verdade suas experiências — estar totalmente presente e mais atento que confuso em seus pensamentos e preocupações. Com prática e tempo, você descobri-rá que voltar ao momento presente se torna mais automático. E quanto mais você volta a ele, mais vida de verdade você vive.

CONCLUSÃO

Reflexões Finais Sobre Organize Sua Mente

"Sua mente é a base de tudo o que você vivencia e de toda contribuição que você dá à vida de outros. Considerando esse fato, faz sentido treiná-la."

– Sam Harris

Treinar a mente é o equivalente mental de arrumar a casa. É um hábito que você precisa repetir diariamente a fim de ficar no controle. Mas treinar a mente não é tão fácil ou simples como cuidar de casa.

Administrar seus pensamentos exige comprometimento e prática. Também demanda consciência diária — inclusive de momento a momento — de seu estado e das travessuras de sua mente de macaco.

Se deixada ao deus-dará, sua mente vai balançar de galho em galho, seguindo uma memória antiga, indo atrás de uma distração ou remoendo o gosto amargo do ressentimento ou raiva. Ou ela pode definhar em devaneio e fantasia, estados mentais bem melhores mas, ainda assim, indisciplinados. Quando você se esquece de fazer um balanço de sua desorganização mental, seus pensamentos e emoções ficam sem freio e instáveis. Como resultado, sua experiência de vida se torna imprevisível e totalmente dependente da natureza aleatória do pensamento.

Os pensamentos intrusos que você vivencia ao longo do dia ilustram a realidade enlouquecedora de que muitas das funções da mente parecem fora de controle consciente. Como se não bastasse, nossos pensamentos *parecem* muito reais e poderosos, e têm um impacto profundo em como percebemos o mundo.

Por um instante, deixe de lado a noção de que seus pensamentos espontâneos têm algum significado. E se esses pensamentos intrusos não tiverem mais veracidade ou essência que um grafite qualquer na parede? Pode haver alguma ligação com uma memória ou emoção, mas no momento presente eles não refletem a realidade. Na maior parte das vezes, essa é a verdade sobre pensamentos.

Embora sua mente subconsciente nunca vá permitir que você tenha controle total de seus pensamentos, você tem, sim, habilidade para controlar alguns deles. E você

CONCLUSÃO

pode mudar suas reações e hábitos a fim de melhor administrá-los e às emoções que eles estimulam.

Ao longo deste livro, apresentamos uma seleção bem variada de ideias e ferramentas para organizar a mente, a fim de que você possa silenciar a voz negativa em sua cabeça, vivenciar menos estresse e desfrutar de mais paz de espírito.

Com respiração focada e meditação de atenção plena, você aciona a resposta de relaxamento e aprende a se desligar de pensamentos e emoções intrusas.

Ao interromper, reestruturar e desafiar pensamentos, você aprende a assumir responsabilidade sobre o que pensa e reduz o poder que os pensamentos têm sobre você.

Quando identifica seus valores essenciais, você cria limites para suas escolhas e ações a fim de não se dar mais motivos para ruminação e preocupação.

Uma vez que você deixa claras suas prioridades de vida, não perde tempo com coisas que mais tarde vão lhe causar arrependimento ou sofrimento psicológico.

Quando estabelece objetivos com base em seus valores e prioridades, você prepara o terreno para ação focada e autoestima que o mantêm energizado.

Quando vai atrás de sua paixão e a vive, você impregna seus objetivos com autenticidade, propósito e alegria, deixando pouco espaço para o pensar negativo.

Ao estar mais presente e atento em suas relações, você evita muitos dos conflitos próprios da interação humana, minimizando o consequente estresse mental e aumentando a satisfação com o relacionamento.

Quando mantém sua casa e seu mundo digital limpos, organizados e otimizados, você elimina distrações que o afastam de seus valores, prioridades e objetivos.

Ao tomar a decisão de diminuir tarefas e compromissos, você reduz estresse, deixando mais "espaço" para estar presente e atento à vida.

Enquanto foca na tarefa à mão e se envolve em atividades de "fluxo", você transcende o falatório mental em sua cabeça e se torna uno com a atividade, estimulando sentimentos de alegria e satisfação profunda.

Quando enfrenta a procrastinação e aprende a dar o primeiro passo com rapidez, você dribla a ansiedade que vem com ficar adiando coisas.

124

ORGANIZE SUA MENTE

Ao aplicar atenção plena em todas as atividades diárias da vida, de lavar pratos a se exercitar, você clareia sua mente a respeito da única realidade verdadeira na vida — o momento presente. O psicólogo americano Abraham Maslow afirma: "A habilidade de estar no momento presente é um componente essencial do bem-estar mental".

Então, como decidir por onde começar sua prática de organização mental?

Sugerimos que você comece definindo primeiro seus valores essenciais, prioridades de vida e objetivos. Uma vez que tiver esses limites pessoais e diretrizes estabelecidos, você vai achar muito mais fácil determinar onde tem a desorganização mental mais conflituosa e como quer lidar com ela.

Por exemplo, se um valor essencial que você tem é construir relações sólidas, mas se encontra em constante conflito com alguém ou frequentemente ansioso com um encontro, então o exercício para relacionamentos que indicamos é um ótimo ponto para começar sua organização mental.

Ou, talvez, você se pegue constantemente depreciando suas habilidades ou aparência, e esses pensamentos negativos o impedem de aproveitar a vida. Se esse é o caso, trabalhar a autoaceitação, acabar com as comparações e perdoar poderão ser os pontos de início.

Algumas das práticas que destacamos, como respiração, meditação, simplificação e atenção plena diária podem ser aplicadas ou executadas por períodos curtos de tempo todos os dias. Os resultados dessas práticas vão ajudá-lo com os esforços mais complexos, como melhorar relacionamentos, superar o passado ou encontrar sua paixão.

Também sugerimos que você mantenha um diário para registrar as práticas de organização mental realizadas, e como sua vida e emoções melhoram como resultado. Ao monitorar suas ações e as consequentes mudanças, você se sentirá inspirado e motivado para continuar a se empenhar na organização mental.

Ordenar sua mente é uma empreitada para a vida inteira, mas cujo prêmio são recompensas enormes que impactam de maneira significativa sua qualidade de vida. Quanto menos tempo "em sua cabeça" você passar com pensamentos intrusos negativos, mais tempo terá para aproveitar o momento presente — e cada momento presente para o resto de sua vida.

CONCLUSÃO

Você compreende o que é necessário para se sentir menos ansioso em relação às "tralhas" que permanecem dentro de sua cabeça.

Agora, nós o instigamos a tomar uma atitude. Comece hoje com o maior desafio de sua vida e comprometa-se a solucioná-lo na próxima semana. Caso se sinta tolhido, use o processo de oito passos que Steve recomenda para construir um novo hábito.[34] Simplesmente identifique o exercício que vai ajudar a superar esse desafio e, então, crie uma rotina para executá-lo todos os dias.

Desejamos a você todo o sucesso!

Barrie Davenport

Steve Scott

400 Palavras Que Identificam Seus Valores (Seção Bônus)

Seus valores essenciais são os princípios-guia de sua vida, que o ajudam a determinar seu comportamento, palavras e ações. É fundamental para sua evolução pessoal verificar seus valores com regularidade e, então, fazer as mudanças necessárias para alinhar sua vida com a maioria desses princípios cruciais.

Viver em harmonia com seus ideais proporciona um ambiente fértil para a felicidade, paz de espírito e sucesso, porque você está vivendo de maneira autêntica sem confusão, culpa ou vergonha. Mesmo pequenas, mudanças adicionais para alinhar sua vida com seus valores vão criar uma alteração positiva em seus sentimentos e sua atitude.

Dê uma olhada na lista abaixo com 400 palavras que designam valores e selecione de 5 a 10 principais para sua vida pessoal e profissional.

Anote-as e avalie como talvez esteja vivendo fora de seus valores neste exato instante. O que você precisa mudar para sustentar seus valores? Qual é o primeiro passo que você pode dar hoje?

Abertura	Afluência	Apoio
Abundância	Agradecimento	Apreciação
Aceitação	Alegria	Aprendizado
Acessibilidade	Altruísmo	Argúcia
Acuidade	Amabilidade	Articulação
Adaptabilidade	Ambição	Asseio
Adequação	Amor	Assertividade
Admiração	Análise	Assistência
Afeição	Antecipação	Astúcia

CONCLUSÃO

Atenção	Celeridade	Contento
Atenção plena	Certeza	Continuidade
Atividade	Charme	Contribuição
Atratividade	Clareza	Controle
Atrevimento	Classe	Convicção
Audácia	Comedimento	Cooperação
Autoconfiança	Compaixão	Coração
Autocontrole	Competência	Coragem
Autonomia	Compostura	Cordialidade
Autorrealização	Comprometimento	Cortesia
Autossuficiência	Concentração	Credibilidade
Aventura	Concretização	Crescimento
Avidez	Condecoração	Criatividade
Beleza	Condicionamento físico	Critério
Bem-aventurança	Conexão	Cuidado
Benevolência	Confiança	Cumplicidade
Bondade	Conformidade	Curiosidade
Bravura	Conforto	Decoro
Brilhantismo	Congruência	Dedicação
Calma	Conhecimento	Deferência
Camaradagem	Conquista	Deleite
Candura	Consciência	Delicadeza
Capacidade	Conscientização	Denodo
Caráter	Consideração	Desafio
Caridade	Consistência	Descaramento
Carinho	Constância	Descoberta
Castidade	Contentamento	Desejo

ORGANIZE SUA MENTE

Desenfado	Empolgação	Expectativa
Desenvoltura	Encantamento	Expediência
Desfastio	Encorajamento	Experiência
Destemor	Energia	Expressividade
Destreza	Engenhosidade	Êxtase
Determinação	Entendimento	Extravagância
Dever	Entretenimento	Extroversão
Devoção	Entusiasmo	Exuberância
Dignidade	Equidade	Facilitação
Diligência	Equilíbrio	Fama
Dinamismo	Espalhafato	Fartura
Diplomacia	Especialização	Fascinação
Direcionamento	Esperança	Fé
Discernimento	Esperteza	Felicidade
Disciplina	Espiritualidade	Fervor
Discrição	Espontaneidade	Fiabilidade
Disponibilidade	Essência	Fidedignidade
Disposição	Estabilidade	Fidelidade
Diversão	Estado de ser	Filantropia
Diversidade	Estima	Firmeza
Doação	Estrutura	Fixidez
Economia	Euforia	Flexibilidade
Educação	Evolução	Fluência
Efetividade	Exatidão	Fluidez
Eficiência	Excelência	Fluxo
Elegância	Excentricidade	Foco
Empatia	Êxito	Força

CONCLUSÃO

Fortaleza	Impecabilidade	Longevidade
Franqueza	Impetuosidade	Ludicidade
Frescor	Incorruptível	Maestria
Frugalidade	Independência	Magnificência
Funcionalidade	Infantilidade	Mansidão
Galhardia	Ingenuidade	Maturidade
Generosidade	Inspiração	Mente aberta
Gentileza	Instintividade	Merecimento
Graça	Integridade	Mestria
Gratidão	Inteligência	Meticulosidade
Gratificação	Intenção	Minuciosidade
Gregarismo	Intensidade	Miseração
Guardamento	Interesse	Mistério
Habilidade	Intimidade	Moda
Harmonia	Intrepidez	Moderação
Heroísmo	Introversão	Modéstia
Higiene	Intuição	Motivação
Honestidade	Intuitividade	Movimento
Honra	Isolamento	Obediência
Hospitalidade	Justiça	Objetividade
Humildade	Lazer	Obstinação
Humor	Lealdade	Oportunidade
Idoneidade	Liberdade	Opulência
Iluminação	Libertação	Ordem
Imaginação	Liderança	Ordenação
Impacto	Limpeza	Organização
Imparcialidade	Lógica	Orientação

ORGANIZE SUA MENTE

Originalidade	Presença	Resiliência
Otimismo	Presteza	Resistência
Ousadia	Privacidade	Resolução
Paixão	Proatividade	Respeito
Parcimônia	Proficiência	Retidão
Partilha	Profissionalismo	Reverência
Paz	Profundidade	Rigor
Peculiaridade	Prontidão	Riqueza
Percepção	Prosperidade	Sabedoria
Percurso	Prudência	Saber
Perfeição	Pujança	Sacralidade
Perseverança	Pureza	Sacrifício
Persistência	Qualificação	Sagácia
Perspicácia	Quietude	Sagacidade
Persuasão	Rapidez	Salubridade
Pertencimento	Razão	Santidade
Piedade	Realismo	Satisfação
Plenitude	Realização	Saúde
Polidez	Receptividade	Segurança
Pontualidade	Reconhecimento	Sensitividade
Popularidade	Refinamento	Sensualidade
Potência	Reflexão	Sentinela
Pragmatismo	Regozijo	Serenidade
Praticidade	Relaxamento	Sexualidade
Prazer	Relevância	Silêncio
Precisão	Repouso	Simpatia
Preeminência	Requinte	Simplicidade

CONCLUSÃO

Sinceridade	Suficiência	Variedade
Sinergia	Suntuosidade	Veemência
Singularidade	Supremacia	Velocidade
Soberba	Surpresa	Ventura
Sociabilidade	Sutileza	Veracidade
Socorro	Temperança	Verdade
Sofisticação	Tino	Vigência
Solicitude	Trabalho em equipe	Vigilância
Solidariedade	Tradicionalismo	Vigor
Solidez	Tranquilidade	Virtude
Sonhos	Transcendência	Visão
Sossego	Transparência	Vitalidade
Suavidade	Unidade	Vitória
Substancialidade	Utilidade	Vivacidade
Sucesso	Valor	Zelo

Gostou de Organize Sua Mente?

Antes de partir, gostaríamos de lhe dizer "obrigado" por adquirir nosso livro.

Você poderia ter escolhido entre dezenas de livros sobre desenvolvimento de hábitos, mas arriscou e testou este.

Então, um imenso obrigado por sua escolha e por ter lido este livro até o fim.

Agora, gostaríamos de pedir um *pequeno* favor. **Poderia, por gentileza, tirar um minuto ou dois e deixar uma avaliação para este livro na Amazon**?

Esse comentário nos ajudará a continuar escrevendo este tipo de livro, que o ajuda a conseguir resultados. E, se gostou demais, então por favor nos avise. :-)

Notas
(os sites são indicados pelo autor e contém conteúdo em inglês)

1. http://www.apa.org/helpcenter/stress-body.aspx

2. http://www.fmi.org/research-resources/supermarket-facts

3. http://www.vanityfair.com/news/2012/10/michael-lewis-profile-barack-obama

4. https://www.rickhanson.net/how-your-brain-makes-you-easily-intimidated/

5. http://www.ncbi.nlm.nih.gov/pmc/articles/PMC4104929/pdf/fpsyg-05-00756.pdf

6. http://usatoday30.usatoday.com/money/jobcenter/workplace/bruzzese/story/2012-07-08/meditation-helps-your-work/56071024/1

7. http://faculty.washington.edu/wobbrock/pubs/gi-12.02.pdf

8. http://www.sciencedirect.com/science/article/pii/S0361923011001341

9. http://www.umassmed.edu/uploadedFiles/cfm2/Psychiatry_Resarch_Mindfulness.pdf

10. http://www.sciencedaily.com/releases/2014/10/141028082355.htm

11. https://buddhify.com/the-app/

12. http://www.omvana.com/

13. https://www.headspace.com/

14. https://en.wikipedia.org/wiki/SMART_criteria

15. https://ptbr.todoist.com/

16. https://blog.todoist.com/2014/06/10/a-comprehensive-guide-to-todoist/

17. http://liveboldandbloom.com/04/mindfulness/how-to-journal

18. http://www.myersbriggs.org/

CONCLUSÃO

19. http://www.keirsey.com/

20. https://www.mint.com/

21. http://www.hms.harvard.edu/psych/redbook/redbook-family-adult-01.htm htm

22. http://mindfulnessmalta.com/user_files/2/mindfulness-and-relationships.pdf htm

23. https://www.gottman.com/blog/the-positive-perspective-dr-gottmans-magic-ratio/

24. http://www-psych.stanford.edu/~psyphy/pdfs/Hutcherson_08_2.pdf htm

25. http://www.scirp.org/journal/PaperInformation.aspx?paperID=62541

26. http://www.ncbi.nlm.nih.gov/pubmed/18954193

27. http://liveboldandbloom.com/08/life-coaching/
want-to-boost-your-self-esteem-10-ways-to-establish-personal-boundaries

28. Veja, respectivamente, http://liveboldandbloom.com/04/relationships/how-
to-deal-with-difficult-people e http://liveboldandbloom.com/03/relationships/
unhappy-marriage

29. http://www.onbeing.org/blog/the-disease-of-being-busy/7023

30. http://www.latimes.com/opinion/topoftheticket/la-na-tt-american-work-obsession-
20150603-story.html

31. http://pomodorotechnique.com/

32. http://www.dec.ny.gov/lands/90720.html

33. http://www.apa.org/monitor/2011/12/exercise.aspx

34. http://www.developgoodhabits.com/how-to-form-a-habit-in-8-easy-steps/

Índice

A

ação 45

ação focada 124–142

aceitação 24–26

ações diárias 108

ações isoladas 46–54

administrar 37–54

agitação mental 34

alegria 124

alinhamento 30

alinhamento adequado 118

angústia mental 73–84

anseios viii–xviii

ansiedade vii

ansiedade generalizada 3

arrependimento ix–xviii, 124–142

ataque de pânico 3

atenção focada 62–84

atenção intencional 73

atenção plena x, 7, 40–54, 61–84

atitude consciente 25–26

atitudes x–xviii

atividades digitais 96, 103–120

atividades enriquecedoras 102

atividades extracurriculares 102–120

atividades online 95

atividades prioritárias 46

atividades relaxantes 103

autenticidade 124

autoaceitação 67–84, 125

autoaprimoramento xi, 71–84

autoaversão 65–84

autoconfiança 50

autoconhecimento 76–84

autoconsciência 19–26

autocontrole 63–84

autocriação 40

autocuidado 82–84

autoestima 124–142

autorrecriminações 108–120

B

bem-estar 14

bem-estar mental vii

bondade amorosa 64–84

C

campo visual 89

caos visual 89–120

Carreira 36

casa 90–120

casa mental 17–26

cérebro viii

ciclos de pensamentos 62

clareza de pensamento 30–54

clareza mental 103–120

comentário interno 16–26

Comparação 65

competência inconsciente 105–120

competição 102–120

comprometimento 123

compromissos de vida 31

comunicação aberta 76–84

comunicação digital 95

comunicação saudável 70–84

concentração 14–26

condicionamento físico 37, 36–54

conexão íntima 73

CONCLUSÃO

conexão social 63–84

conflito 75–84

Consciência 62

consciência diária 123

consistência 46–54

contentamento 40

conversa produtiva 70

correlato neural 89–120

Córtex Visual Humano 89

crenças autossabotadoras 24

crescimento espiritual 71–84

criação de objetivos 40

culpa ix–xviii

D

data-limite 42

decisões inteligentes 31

depressão 3

desafios 73–84

descanso 103–120

desconforto 81–84

desenvolvimento mental 102

desenvolvimento pessoal 30–54

desespero 19–26

desordem física 90–120

desorganização digital 95–120

desorganização mental viii, x, 3

detox digital 103–120

diálogo 75

diálogo compartilhado 61–84

diálogo interno viii, 11–26

dificuldades 30–54

dilúvio de escolhas 29–54

dispositivos digitais 97–120

distração 49–54, 123

distúrbios no estômago 3–26

dominar sua mente 20–26

dores de cabeça 3–26

dor interna 34

dor muscular 3–26

E

emocionalmente presente 75–84

emoções dolorosas ix–xviii

emoções reativas 75

empatia 75, 71–84

empoderamento 50

energia 49–54

energia emocional 91

entusiasmo 19

equilíbrio 40–54

escuta empática 61

escuta profunda 17

esforços mentais viii–xviii

esgotamento 96–120

espaço entre pensamentos 17–26

espaço mental 87–120

estado de espírito x

estado mental 3–26, 24–26

estado mental global 18

estilo de vida xvii, xiii–xviii

estímulos 89

estratégias 31

estratégias práticas xi

estresse vii, 3

estudo 63–84

evolução tecnológica 29–54

exaustão mental 6

excesso de pensamentos 30–54

experiência de vida 123–142

experiência otimizada 104–120

experiências virtuais 96

explosão de tecnologia 95

F

fadiga mental 58

falante 62–84

falatório mental 124

Família 36

felicidade global 49

ferramentas 41

filtro mental 62

flexibilidade 30

fluxo 104

fluxo de informações 29–54

fluxo produtivo xv

foco xvii, 14–26

futuro ix–xviii

G

gatilhos 21–26

Gestão de vida 36

giros mentais 20–26

gratidão 67–84

gratificante 111

ORGANIZE SUA MENTE

H

habilidade de foco 89

habilidades xvii

habilidades criativas 104

hábitos x–xviii

hábitos positivos xi–xviii

hiperagitado 103–120

hostilidade 63–84

I

imersão digital 96–120

impacto positivo 90–120

indecisão 92

indisposição 37–54

infecções constantes 3–26

infelicidade viii

inquietações 3–26

inserção digital 96

interação humana 124–142

intimidade emocional 77–84

J

julgamento 16–26

L

lacuna 16

Lazer 36–54

lembretes positivos 24–26

liberdade 30

liberdade de escolha 4

limites 35–54

limpeza 115–120

linguagem corporal 75

M

mal-entendidos 75

mantra 118

meditação 13

Meditação da bondade amorosa 63

meditação guiada 17–26

medo ix–xviii

mente instável 39–54

mente límpida ix

mentes de macaco ix

metas 41–54

mídias sociais 95, 87–120

minimalista 89–120

moradias limpas 89–120

motivação 44–54

mudança 40–54

multitarefas 114

N

negatividade 62–84

Neurociência 89–120

neurônios viii–xviii

O

objetivo 41–54

Objetivos Atingíveis 42–54

objetivos de curto prazo 44

Objetivos Mensuráveis 42–54

Objetivos Relevantes 42–54

Objetivos Singulares 41–54

objetivos S.M.A.R.T. 41

Objetivos Temporais 42–54

obstáculos mentais 26

orgulho 93–120

ouvinte 62–84

P

paixão 50, 54

panorama de vida 50

paradoxo da escolha 4

passado ix–xviii, 70–84

paz de espírito 54, 91

paz interna x, 30

paz mental ix

pensamento criativo 19

pensamento crítico 19

pensamento negativo ix

pensamentos articulados 25–26

pensamentos e emoções intrusas 124

pensamentos espontâneos 123

pensamentos intrusos 123–142

pensamentos invasivos 16

pensamentos negativos vii, 19–26

pensamentos positivos viii

perdão 71

perspectiva positiva 24–26

pesquisa científica 15–26

planejamento financeiro 36–54

ponto de retorno 4

pontos fortes 67

postura 117

prática meditativa 12

predisposição à negatividade 6, 19–26

preocupações 3–26

preparação mental 110

presença emocional 75–84

CONCLUSÃO

Presença sintonizada 75

princípios-guia 127

princípios orientadores de vida 30–54

prioridades 29–54, 35, 35–54

prioridades de vida 87

proativo 23–26

problemas para dormir 3–26

processar informação 89–120

processo 83

procrastinação 107–120

Procrastinar 107

produtividade xvii, 110

projeto de organização 93–120

propósito 29, 124

Q

qualidade de vida ix

R

raciocínios x–xviii

refúgio 89

regras 35–54

relação amorosa 36

relação consciente 74–84

relacionamentos maduros 76–84

relações interpessoais xiii

relações íntimas 57

respiração 10–26, 15–26

respiração abdominal 10–26

respiração consciente 12–26

respiração diafragmática 11–26

respiração direcionada 7

respiração focada 124–142

respiração nasal 11–26

respiração profunda 12

respiração profunda direcionada 10–26

resposta de relaxamento 124

resultados positivos 54

revisão 45–54

revisão semanal 44

romper o padrão 20–26

rotina de tarefas 99–120

S

sabáticos digitais 103

satisfação 93

saúde 37

saúde emocional 102

saúde mental 3–26, 97

sensação de prisão 70–84

sensação de satisfação 91–120

senso de propósito 54

sentimentos feridos 75–84

sentimentos secundários 96–120

silêncio ix

sobrecarga de informações 29

sobrecarga mental 69–84

sobrevivência diária 113

sofrimento ix, 71–84

sofrimento mental 64–84

sofrimento psicológico 124

subconsciente 123–142

T

tarefas 45–54

tarefas domésticas 36–54

temas de discórdia universais 80

tempo digital 95–120

tempo livre 102–120

tempo produtivo 110

tensão 40–54

turbulência mental 65

U

Universidade de Stanford 63–84

Universidade de Utah 63–84

V

valores 29–54, 87

Valores de trabalho 33

Valores de vida 33

valores essenciais 29

vida diária 93

vida mental xvii

vida moderna 29

vidas computadorizadas 97–120

vida social 36–54

Sobre Steve

Em seus livros, S.J. Scott fornece planos de ação para cada área da vida: saúde, condicionamento físico, trabalho e relações pessoais. Ao contrário de outros guias de desenvolvimento pessoal, seu conteúdo foca na tomada de atitudes. Então, em vez de ficar lendo estratégias superestimadas que raramente funcionam no mundo real, você terá acesso a informações que podem ser implementadas imediatamente.

Sobre Barrie

Barrie é fundadora do premiado site de desenvolvimento pessoal Live Bold and Bloom (liveboldandbloom.com). É coach pessoal certificada e criadora de cursos online, ajudando pessoas a aplicar soluções práticas a fim de saírem de suas zonas de conforto e usufruir de vidas mais felizes, ricas e bem-sucedidas. Também é autora de uma série de livros de autoaprimoramento sobre hábitos positivos, paixão pela vida, desenvolvimento da confiança, atenção plena e simplicidade.

Como empreendedora, mãe de três filhos e chefe de família, Barrie sabe em primeira mão como é valioso e determinante simplificar, priorizar e organizar a vida e o trabalho a fim de viver o melhor da existência.